U0103192

臺灣鄉鎮圖書館空間配置

林 金 枝 著

臺灣學生書局印行

沈　序

　　我從不輕易爲人寫序，因爲我不知道如何寫序，如果要我寫序，我寧可寫一篇文章代序，這是出自肺腑的良心話。爲了避免寫序，我曾經祭起「寫序約法三章」的法寶作爲免戰牌和護身符：

　　一、　知人——我必須對著者有相當程度的認識。

　　二、　知己——我必須對著作的內容有若干了解。

　　三、　知用——我必須對著作的貢獻有幾分把握。

　　我這「三大法寶」作爲免戰牌還眞管用，爲我省掉不少構思和動筆的麻煩，但也因此得罪了幾位朋友。因此，護身符的功能有限。

　　林金枝同學的著作「臺灣地區鄉鎭圖書館空間配置」出版了，她要我寫序，我的法寶完全失靈，在新生代的青年才俊之中，金枝是百分之百符合我約法三章的人，對於她的請求，除了說“好”，我還能說甚麼！

　　首先，金枝是我的得意門生。我的學生都是優秀的，我說這話既不過份，更沒有門戶之見和派系之分。國立台灣大學圖書館學研究所吸收了台大、師大、淡江、輔仁和世新等學校的精英，素質之高可謂牛奶中的乳酪（Cream of the milk），金枝在臥虎藏龍的競賽環境之中脫穎而出，不是偶然的，我對她的智慧、知識、和決心印象深刻。除此之外，在我記憶之中還有下列事實可以佐證我們師生之間情感的深厚和關係的密切。

　　·　金枝是在民國72年經大學聯招錄取進入台大圖書館學系

，換言之，我們師生的關係已有將近十年的歷史，而她是經常在我身旁的學生之一。

・ 金枝曾經修習過我在台大系所講授的全部課程，每一門課她都以最優異的成績過關。

・ 我是金枝碩士畢業論文的指導教授。

・ 我指導台大研究生群合寫的「鄉鎮圖書館的理論與實務」一書，金枝是貢獻最大、出力最多的撰稿人，我曾經指派她為執行編輯。

・ 我曾經參與金枝的婚宴，為了不讓我的學生失望，我婉拒另外一項時間衝突的重要約會。

・ 我曾經擔任台大研究所導師，因此我儘可能的了解學生的生活方式和家庭狀況，金枝在她家中是孝女，婚後是賢妻。

・ 金枝通過公務人員高等考試，目前在母校圖書館工作，她作事的認真態度，可以「奉公守法、無怠無忽」八個字來形容，她經常晚間自動加班，不領加班費，她這本書本來在好幾個月前就應該問世，因為工作太忙，沒有時間修正而延誤了下來，她這種公而忘私的精神堪稱現代公務人員的楷模。

其次，這部著作是金枝的畢業論文修訂而成，如前所述，我是這篇論文的指導教授，我想系主任兼所長李德竹教授指定我為金枝的指導教授是因為我在所裏一直開「文化中心管理」這門課程，同時我在文建會文化中心輔導小組擔任委員多年，在李所長看來把這個任務托付與我，應該是「勝任愉快」和「責無旁貸」。

我的確以「愉快」的心情接受下來，但是否「勝任」？這是我一直再三考慮的問題。

　　金枝已經得到碩士學位，而這本論文已經出版成為專書，我為甚麼要提出是否「勝任」的問題，這與我個人的教育哲學有關。我的觀點和教學方法是否正確、合理，希望學者專家不吝指正。

① 「生也有涯，知也無涯」，學問是無止境的，「知之為知之」是老師應有的條件，不足為奇，我覺得為人師者，更重要是要有承認「不知為不知」的胸懷和雅量。

② 過去師傅教徒弟常常留一手，免得「教出徒弟打師傅」，我大不以為然。教出徒弟能夠打過師傅是世界文化能夠進步的主要原因之一。亞里斯多德師事柏拉圖多年，杜蘭（Will Durant）在「西洋哲學史話」中指出「亞里斯多德在柏拉圖的「實在論」中看出一切神秘主義和錯誤理論的根源，他便不遺餘力予以攻擊，正如布魯達雖非不愛凱撒但愛羅馬更甚那樣，亞氏也說「柏拉圖雖然可愛，但真理卻更可愛」（Story of Philosophy, p. 58），我常常在課室中要求學生提出與老師不同的意見，指出老師的錯誤，我認為這就是「青出於藍而勝於藍」。

③ 我篤信「三人行必有吾師焉」的哲理，老師的學問比學生強是天經地義的事，但這並不是說老師每一件事、所有的知識都超過學生，「後生可畏，焉知來者之不如今也」。我覺得在資訊爆破的時代，以「不恥下問」的心情和學生溝通是教學必要的方法。

④ 以教學的層次而論，小學以老師的身教和言教爲中心，中學以課本爲中心，大學以教授的講解爲中心指定參考書爲輔，研究所教育以研究生自學、自己檢索資訊爲中心，教授的職責是「老馬識途」，指出正確的研究方向。

上述各點不過是說明我在教學時讓學生有很大自由發展的空間，金枝的論文寫作完全是靠自己的摸索和努力才能完成，尤其可貴的是她用新婚蜜月的時間訪視四十五所鄉鎮圖書館，可算是文壇佳話了。

最後，建立文化大國是我國朝野、政府民間共同奮鬥的目標，文化中心的建設以圖書館爲主，我覺得文化建設好像一棵大樹，文化中心是支葉，鄉鎮圖書館則是果實，鄉鎮圖書館的出現顯現我國文化建設的美好遠景。基於這個理由，金枝和她的級友共同寫作了「鄉鎮圖書館的理論和實務」，現在金枝更進一步的將她的畢業論文修訂後出版成爲專書，可謂錦上添花。本書的出版承蒙行政院文化建設委員會補助費用並要求贈送該會本書三百冊。顯然的，全國三百所鄉鎮圖書館都將收藏一冊金枝的書以供參考，老師不一定能做到的事，金枝卻做到了，這不僅是金枝個人努力的回饋，我這個老師亦與有榮焉。

沈寶環　序

中華民國八十一年四月

自　　序

　　在臺灣省政府大力推動基層文化建設的努力下，鄉鎮圖書館如雨後春筍般一一落成啓用，使我國的公共圖書館總數在短短幾年間急遽成長，誠令人感到欣慰。然而，這麼多新設立或即將興建的圖書館，必須要能發揮功能，才能算是眞正落實文化建設。圖書館館舍空間配置理想與否，對其經營成效有決定性的影響。各館在興建之前，應先了解圖書館的功能與任務，再進行規劃設計。因此，本書試圖探討目前鄉鎮圖書館內部空間配置之現況與問題，分析圖書館業務運作及其空間關係與需求，並規劃鄉鎮圖書館內部空間配置型態，以提供我國鄉鎮圖書館規劃內部空間時之參考。謹將走訪本省部分鄉鎮圖書館後彙整分析之資料匯集成書，惟筆者才疏學淺，錯誤遺漏在所難免，尙祈學界前輩與同事好友不吝批評指教。

　　沒有沈寶環敎授之鼓勵督促，本書之付梓實屬無期。感謝沈老師對筆者之指導愛護及李德竹、胡述兆、張鼎鍾、鄭雪玫、吳明德等諸位敎授在學業上的敎誨及平時的關心鼓勵。

　　感謝敎育廳賴文權先生、各文化中心圖書館及所有受訪鄉鎮圖書館協助提供有關資料，以及林春欽、王江煌、金小玲等協助整理文稿。最後，外子黃俊昌於蜜月期間，陪筆者環島訪問各鄉鎮圖書館，辛苦備至，對本書之完成協助甚多，謹此致謝。

林金枝　謹識

目　次

圖 表 目 次

第一章 緒 論

第一節 研究目的

公共圖書館係基於教育機會均等及終身教育之觀念而設置，所服務的對象是全體民眾，最能顯示出圖書館社會教育的功能①，故諸多先進國家莫不重視公共圖書館設置的普及和其服務的完善。② 因此，公共圖書館是否發達，乃是反映一個國家圖書館事業是否達到水準的一個重要指標。

我國自政府遷台以來，圖書館事業發展頗為迅速，但公共圖書館因受到地方政府經費的限制以及組織編制和人才的不足，其發展較其他類型圖書館為遲。③ 惟自民國66年起，政府於十大建設完成之後，繼續推行十二項建設，乃將文化建設納入其中，於是「以圖書館為主」④ 的縣市文化中心相繼建立，推展各項文化建設活動。

為使文化建設落實於基層，臺灣省政府擬訂了「平衡城鄉教育發展方案」，其第九項即為「增建鄉鎮圖書館(室)，以提昇偏遠地區之文化水準，達到每一鄉鎮均有圖書館(室)的目標」。⑤ 教育廳據此於民國73年擬訂「臺灣省加強文化建設重要措施」草案⑥，並委請省立臺中圖書館先行對全省鄉鎮市圖書館實施全面調查。⑦ 調查結果，至74年元月底止，全省309個鄉鎮市中，已設有圖書館者共103個鄉鎮市，另有7個鄉鎮市正在興建之中。⑧ 74年2月，教育廳即依據此調查結果，擬訂了「輔導並補助各鄉

鎮縣轄市建立圖書館」計劃，對於未建館的199個鄉鎮市，自75會計年度起，分三年補助建館經費，採取省和縣對等補助方式，各爲二百萬元，對於已建館與興建中的鄉鎮市，則補助每館五十萬元充實圖書，分兩年購置。⑨政府這項措施，誠使我國公共圖書館事業邁上了新的里程。

民國77年，臺灣省政府爲持續推動加強文化建設，於11月再訂頒「臺灣省加強文化建設第二期重要措施」，其中第一項執行重點仍爲鄉鎮(市)立圖書館之建設----「充實鄉鎮(市)圖書館，並發揮其功能。」⑩除了補助各館充實館藏與視聽設備外，在硬體建設部份，補助重建或改建原有狹小鄉鎮(市)圖書館共二十一館，仍由省與縣各補助最高二百萬元爲原則。另外，省轄市各區及人口十五萬以上之縣轄市興建分館，每館補助最高三百萬元。⑪這些措施充分顯示了普設鄉鎮圖書館是現階段文化建設的重要政策目標。

然而，除了「量」的普及之外，目前我國鄉鎮圖書館的發展是否確能同時兼顧現代公共圖書館教育、文化、資訊、休閒之四大功能呢？從現有的制度與客觀情勢來看，顯然仍有許多問題亟待解決。省立臺中圖書館在調查報告中即歸納鄉鎮圖書館共同問題計有九項，分別爲經費籌措、館舍興建、人才培育、空間規劃、期刊典藏、作業規範、服務推廣、體制歸屬、業務督促等。⑫人員、館藏與建築設備乃公共圖書館經營之三大要素⑬，人員、館藏影響圖書館服務的質與量，建築設備則關乎整體機能的運作與功能的發揮。⑭鄉鎮圖書館人員不足有賴政府儘速修訂組織規程給予合理的員額編制，而館藏缺乏亦須主管機關持續地經費支

援加以各館善加運用，才能符合民眾所需。而館舍建築方面，在教育廳補助與建館舍計劃實施之前，各鄉鎮圖書館型態諸多，且多有寄人籬下或局促一隅者，其格局均極狹小。⑮ 以臺北縣為例，有19所鄉鎮圖書館面積不滿100坪，佔了全部圖書館之65.52%，且其中只有三個鄉鎮有獨立館舍，其他多借用民眾服務社或與民眾活動中心合建。⑯值此普設鄉鎮圖書館之際，以目前鄉鎮圖書館一至二人之編制員額⑰，對圖書館業務即已不勝負荷，若在籌建之前缺乏整體規劃，一旦設計不佳，「輕則作業不便、降低工作效率，重則功能癱瘓、影響運作」，⑱ 不僅館員工作缺乏效率，更妨礙讀者利用。

　　圖書館館舍建築的優劣左右其藏書、工作流程、服務品質及讀者使用率。⑲中國圖書館學會在「圖書館建築設備標準」中即明訂圖書館建築設計原則為「在設計館舍外表以前，應先將內部各室在工作聯繫上之配置，計劃妥善。」⑳「台灣省各縣建立鄉鎮圖書館設計要點」中亦規定，「圖書館建築之設計，必須符合圖書館設置之目的，以利圖書資料之整理與典藏及各項讀者服務工作之進行。」㉑然而，近七成的鄉鎮圖書館館員甚至未曾受過專業訓練㉒，如何瞭解圖書館每一項業務的功能是什麼，它是怎麼運作的，又怎能期望他們設計出符合功能且滿足需求的圖書館建築？果眞如此，那麼是不是恐怕雖有「鄉鄉皆有圖書館」之名，卻未能眞正發揮鄉鎮圖書館的功能，落實文化建設。

　　因此，本書之研究目的為：

1.探討我國鄉鎮圖書館主要業務機能，　以為規劃設計之基礎。

2.瞭解並分析我國鄉鎮圖書館內部空間配置之現況與問題。

3.探討我國鄉鎮圖書館內部空間之需求與規劃原則。

4.提出我國鄉鎮圖書館內部空間配置之適用模式,以供我國鄉鎮
　圖書館進行內部空間規劃時之參考。

　　為便於往後之討論,謹將本書之研究調查範圍說明如下:

1.本研究係以臺灣省各鄉鎮市立圖書館為對象,不包括臺北市、
　高雄市兩直轄市,以及基隆市、新竹市、臺中市、嘉義市、臺
　南市等五個省轄市。另外,澎湖縣因地處臺灣本島之外,受交
　通與經費限制,其鄉鎮圖書館不列入實地訪問對象。

2.本研究僅調查已開放成立之鄉鎮圖書館。鄉鎮圖書館是指依據
　「臺灣省各鄉鎮縣轄市立圖書館組織規程」之規定設立,隸屬
　於鄉、鎮、縣轄市公所之圖書館㉓,故不包括私立公共圖書館
　、社會教育館與民眾閱覽室。

3.本研究以探討鄉鎮圖書館內部空間之規劃與配置為限,至於館
　舍位置、建築結構、環境設計及傢具設備規格,則不在討論範
　圍之內。

第二節　鄉鎮圖書館相關法規標準

　　圖書館標準通常由專業組織或政府機關制訂,就圖書館經
營服務之最低數量要求加以明確規定,旨在提供各館參照實施
,並作為評估圖書館業務之準繩。㉔茲將相關法規標準列舉如
後,其中或有不合時宜或不盡完備者,藉以略知國內外相關法
規標準之制訂情形。

一. 國內部分

1. 「公共圖書館標準」

   民國54年中國圖書館學會制訂「公共圖書館標準」㉕，
   供當時省縣(市)圖書館經營之依據。該標準中規定人口
   二萬人之社區應設立社區圖書館，且須爲縣(市)圖書館
   分館。標準中尚未有「鄉鎮圖書館」之名稱。

2. 「圖書館建築設備標準」

   民國54年中國圖書館學會臺灣省圖書館事業改進委員會
   針對公共圖書館之需要訂定「圖書館建築設備標準」㉖
   ，條列了設計原則、建築基準、採光、空調、內部裝置
   及間距，以及各式傢俱設備之規格等。

3. 「臺灣省各鄉鎮縣轄市立圖書館組織規程」

   民國58年由臺灣省政府訂頒的「臺灣省各鄉鎮縣轄市立
   圖書館組織規程」㉗，爲鄉鎮圖書館設立之依據，其地
   位亦始得以確立，但僅止於員額編制之規定。迄民國69
   年止該規程歷經五次修訂，目前教育廳已著手研修中。㉘

4. 「臺灣省各縣建立鄉鎮圖書館設計要點」

   民國74年11月，爲配合「臺灣省加強文化建設重要措施
   」之執行，省立臺中圖書館擬定了「臺灣省各縣建立鄉
   鎮圖書館設計要點」㉙，該要點分兩大部分，第一部分
   是鄉鎮圖書館之業務設計原則，第二部分爲圖書館之實
   體設計原則。後者包括建地選擇、空間規劃、建築面積
   計算標準、環境設計及傢具設備等，可供鄉鎮圖書館規
   劃設計時之參考。

5. 「縣市立文化中心及鄉鎮(市)立圖書館視聽服務準則」(草案)

民國78年1月中國視聽教育學會擬訂了「縣市立文化中心及鄉鎮(市)立圖書館視聽服務準則」(草案)⑩，使縣市立文化中心及鄉鎮圖書館所提供之視聽服務有所依據。

二. 美國部分

1. 「公共圖書館標準」

美國圖書館事業居於世界領導地位，有關圖書館標準之擬訂較其他國家爲先。公共圖書館標準在各類圖書館標準中乃最早制訂，且最爲圖書館界所重視。爲達到公共圖書館之共同理想，自1933年以來，先後多次由美國圖書館協會頒佈修訂公共圖書館標準，對公共圖書館的建築、組織、人員、藏書、經費、設備與服務方面所應具備的條件與達成的目標有所規定。㉛ 1966年的「公共圖書館系統最低標準 (Minimum Standards for Public Library Systems)」㉜ 即是最後一個全國性公共圖書館標準。

雖然美國公共圖書館標準現已爲「計劃程序」(planning process) 所取代 ㉝，但衡諸我國現階段之社會狀況與公共圖書館事業之發展，目前仍以遵循標準爲宜。㉞

2. 「小型公共圖書館暫行標準」

美國公共圖書館標準數次頒佈修訂，其中對我國鄉鎮圖書館頗具參考價值的是1962年所擬訂的「小型公共圖書

館暫行標準」（Interim Standards for Small Public Libraries）」。㉟「小型」圖書館一般指服務人口在五萬人以內的圖書館而言。該標準擬訂以前，曾參考了二十個州制訂的標準，所訂各項原則與以前的標準相近，惟在數量上特別規定所需建築面積表（A table of space requirement）㊱，這也是美國圖書館標準中第一次有關建築上的具體規定。

第三節　鄉鎮圖書館建築相關研究

一.　中文部分

（一）關於鄉鎮圖書館調查方面

　　　我國對於公共圖書館的研究，早期多局限於現況調查，且止於縣市圖書館爲多。這些調查結果也多以概況、簡介或一覽表的方式發表。㊲近年來，公共圖書館的發展益受重視，調查報告亦較詳盡而深入，如民國64年私立淡江文理學院（今淡江大學）所作的調查㊳；民國65年中國圖書館學會公共圖書館標準擬訂小組所作的「中華民國臺閩地區省（市）縣市鄉鎮區圖書館現況調查報告」㊴，此爲一抽樣調查。此外，收錄於中華民國圖書館年鑑中的「臺灣地區圖書館事業現況」㊵，則爲一全面性普查。根據此次調查結果，至民國68年，全省共設有鄉鎮市圖書館或縣立圖書分館47所，以臺北縣及桃園縣最爲普遍。㊶

　　另一次全面性普查，乃於民國70至71年間，雷叔
雲等人所作的「臺閩地區圖書館現況調查研究」㊷，
以問卷調查全國圖書館暨資料單位，從組織地位、人
力資源、財力資源、圖書資源、空間利用、服務品質
，以及自動化作業等方面作成統計分析，並提出問題
與建議。

　　至於完全以鄉鎮圖書館爲調查對象，則始於民國
74年省立臺中圖書館所調查之「臺灣省各鄉鎮縣轄市
立圖書館概況」㊸，至74年元月止，全省 309個鄉鎮
市中已有103所鄉鎮圖書館，7所正興建中。臺灣省教
育廳即據此擬訂了「輔導並補助各鄉鎮縣轄市建立圖
書館計劃」。

　　74年 6月，國立中央圖書館進行最近一次的全國
各類型圖書館普查，於77年出版「臺閩地區圖書館調
查錄-----民國七十四年」㊹，並收錄於第二次中華民
國圖書館年鑑中。㊺此次調查結果，全省共有 119所
鄉鎮圖書館，並有 6所分館㊻，與省立臺中圖書館之
調查結果相近。民國78年，臺灣省教育廳爲補助鄉鎮
圖書館購置視聽設備，委託中國視聽教育學會先行對
全省縣市文化中心與鄉鎮圖書館視聽服務現況進行調
查，並提出「縣市文化中心及鄉鎮(市)立圖書館視聽
服務規劃專案計畫報告書」，報告中顯示，在問卷回
收的 133所鄉鎮圖書館中，僅26所鄉鎮圖書館有視聽
資料與設備。㊼

　　民國 79年6月，林慶弧的碩士論文探討我國臺灣地區鄉鎮圖書館的發展沿革、現況及其目前經營所遭遇的問題，並提出鄉鎮圖書館之營運模式。

　　民國 79年9月，臺灣省教育廳在「臺灣省鄉鎮縣轄市立圖書館現況與展望」報告書中，指出目前已興建完成並開放正常營運的鄉鎮圖書館計有 207個鄉鎮市，並說明圖書館興建計劃未能如期完成的原因，以及鄉鎮圖書館未來發展重點。㊽

　　以上是關於鄉鎮圖書館歷年來相關調查資料的介紹，其中多包括了館舍面積與閱覽席位之數字資料，可供本研究參考。

（二）關於圖書館建築部分

　　國內目前尚無探討鄉鎮圖書館建築的專論。但某些相關論述仍可供本研究參考。俞芹芳所著之「中小型公共圖書館建築設計之研究」㊿，探討公共圖書館建築設計的基本原則、家具設計、環境設計等，強調成立規劃小組之重要性與擬定建築計劃之方法，對於空間之設計與安排有原則性的敘述。

　　國立臺灣大學圖書館學系雷叔雲等八位系友，於民國68年共同「為鄉鎮圖書館請命」○51，說明鄉鎮圖書館的重要性、現況及問題所在，探討有關法規問題，並就社區特性、目標、服務、組織人員、館藏、經費、建築等項目討論鄉鎮圖書館的經營方式。關於建築部分，列舉了若干基本原則。

　　臺灣省政府教育廳於民國77年委託國立臺灣大學圖書館學研究所沈寶環教授主編「鄉鎮圖書館的理論與實務」⑫，該書第二章論行政的技術與藝術，其中略述鄉鎮圖書館內部空間規劃之原則⑬。

　　針對圖書館內部空間需求與規劃深入探討者只有謝寶煖的「大學圖書館內部空間配置之研究」⑭，以結構化分析之實體資料流程圖來分析大學圖書館各項業務之功能運作及其間關係，建立讀者動線及圖書資料動線，再從量的觀點來規劃大學圖書館之內部空間配置。其中部分原則亦適用於公共圖書館。⑮

　　易明克以國立中央圖書館開架閱覽室為例，說明良好的內部規劃應考慮的因素，並就家具設計與室內裝潢部分提出其參與細部設計之心得。⑯王俊雄則以臺北市立圖書館為例，說明其規劃設計構想。⑰

　　由建築觀點來討論者有砂川幸雄所編、李政隆譯的「圖書館：建築設計實例集」⑱，介紹39所世界重要圖書館之建築平面圖、剖面圖，說明其設計、構造、規模等。

　　其他有關圖書館建築之文章大多為談論建築計劃問題，如藍乾章在「圖書館的建築與設備的設計規劃」一文中，介紹圖書館建築設計準備工作及設計要點⑲；王逸如從圖書館學、建築學與行為科學的觀點，討論「圖書館建築計劃原則」。⑳日人澤本孝久在演講中指出圖書館員對圖書館建築設計應注意事項㉑；

鬼頭梓則就圖書館建築之特性與需求，以及圖書館建築設計的原則、方法等做過多次演說。㉒

二． 英文部分

有關圖書館建築及內部空間規劃之英文文獻頗多，以下列舉重要相關論著：

1941年惠勒（Joseph Wheeler）和吉森士（Alfred M. Githens）就圖書館行政與服務廣泛地討論美國公共圖書館建築的規劃與設計問題。㉓

1947年佛斯勒（Herman H. Fussler）編輯一本關於圖書館建築的書，從圖書館服務功能的觀點來探討圖書館建築的設計原則，就讀者服務、技術服務、行政管理及書庫等分別討論之。㉔

1955年蓋爾文（Hoyt R. Galvin）所編的「圖書館建築規劃」㉕中，收錄了若干圖書館的建築計劃書，並有平面配置圖。蓋爾文在1959年又與范布倫（M.Van Buren）合著「小型公共圖書館之建築」㉖一書，針對藏書少於10萬冊之公共圖書館，提供其內部規劃原則、建築計劃書撰寫以及建材、成本、傢具設備規格等之參考依據。

1957年鮑茲（Martha Boaz）編輯一書探討10萬人以下城市之公共圖書館建築。㉗

1966年麥勒（Rolf Myller）簡述小型公共圖書館建築設計的原則和方法，並附有詳細的設計圖。㉘

1972年歐爾（James McConnell Orr）闡述圖書館館員

與讀者活動的基本需求、環境設計，以及各類型圖書館建築規劃的原則。⑲

1979年柯漢夫婦(Aaron Cohen & Elaine Cohen)從行為觀點來討論圖書館的空間安排，並探討傢具設備的選擇以及採光、色彩、指標的設計。從建築計劃的形成至開放啓用之日，其間所需的經驗與理念有在本書中詳細說明。作者並希望在建築師美觀與圖書館員實用的偏執設計理念中尋求折衷之道。⑳ 同年，杜瑞普(James Draper)和布魯克(James Brooks)從基礎的平面圖繪製方法開始，對於圖書館動線的安排、內部空間的規劃設計有詳細討論㉑。

1980年梅森(Ellsworth Mason)介紹圖書館建築計劃書的撰寫方法，照明、空調系統及內部設計原則。㉒同年，拉辛頓(Nolan Lushington)和彌爾斯(Willis N. Mills)合著的「爲讀者設計圖書館：規劃手冊」㉓ 則是針對小於30,000平方呎的圖書館所寫的建築規劃手冊。

1985年，佛雷 (Ruth Fraley) 和安得生 (Carollee Anderson) 介紹如何蒐集空間規劃的相關資料，及計算傢具設備所需空間的方法。㉔達格倫(Anders Dahlgren)則從建築小組的職責、空間需求評估與建築標準、建築計劃的撰寫以及內部空間配置的原則與方法等各方面探討小型公共圖書館建築的規劃，並附有平面配置圖。㉕

1988年，達格倫 (Anders Dahlgren)又進一步教導圖書館員如何一步步地規劃公共圖書館。他分九個步驟，逐一舉例計算館藏、閱覽席位、館員、會議室等空間需求，

並附有空間需求估算表(worksheet)， 讓館員可試行遵循
填寫。⑯

　　除以上所列專著外，其他英文期刊文獻及公共圖書館
行政管理之論著中，亦有關於圖書館內部空間配置之論述。

註　釋

① 王振鵠，「文化建設與圖書館」，圖書館學論叢(臺北:學生書局，民73
　年)， 頁523。

② 如美國，其公共圖書館總數已達15,287。見 *American Library Direc-
　tory* 1987-88. 40th ed. (New York: R.R.Bowker, 1988), vol.1, p.
　x.

③ 王錫璋，「一年來的公共圖書館及文化中心」，國立中央圖書館館訊 8
　卷 4期(民75年2月)，頁396。

④ 社會教育法(民69年10月26日修正公布)第四條第二款:「直轄市、縣(市)
　應設立文化中心，以圖書館為主，辦理各項社會教育及文化活動。」

⑤ 同註3。

⑥ 臺灣省立臺中圖書館編，臺灣省各鄉鎮縣轄市立圖書館概況(臺中:編者
　，民74年)，頁2。

⑦ 同前註，序言。

⑧ 同註6，頁4。

⑨ 臺灣省政府教育廳，臺灣省加強文化建設重要措施執行情形報告(臺中:
　該廳，民77年)，頁3-4。

⑩ 臺灣省政府函，「臺灣省加強文化建設第二期重要措施」，中華民國七
　十七年十一月二十一日七七府教五字第160099號，省府公報77年冬字第
　45期。

⑪ 臺灣省政府教育廳，臺灣省鄉鎮縣轄市立圖書館現況與展望(臺中:該
　廳，民79年)，頁2。

⑫ 同註6，頁185-188。

⑬ 藍乾章，圖書館行政(臺北: 五南， 民71年)， 頁10。

⑭ 俞芹芳，「公共圖書館建築設計淺談」，教育資料與圖書館學 21卷4期

（民73年6月），頁431。

⑮　有些鄉鎮圖書館是附設在鄉鎮市公所、民眾服務分社、社區活動中心、
　　學校或寺廟裏。見註6。

⑯　臺北縣立文化中心圖書館，「臺北縣各鄉鎮市圖書館(室)現況調查與研
　　究」，<u>臺北縣立文化中心季刊</u>　19期(民78年1月)，頁19。

⑰　臺灣省政府令，「臺灣省各鄉鎮縣轄市立圖書館組織規程」，中華民國
　　六十九年四月三日府人一字第28665號令修正，省府公報69年夏字第3期。

⑱　易明克，「圖書館內部規劃與細部設計經驗談」，<u>臺北市立圖書館館訊</u>
　　6卷　2期(民77年12月)，頁25。

⑲　同註17，　頁2(序)。

⑳　中國圖書館學會臺灣省圖書館事業改進委員會訂，「圖書館建築設備標
　　準」，中國圖書館學會編，<u>圖書館學參考書目及法規標準</u>，增訂再版(
　　臺北：編者，民75年)，頁166。

㉑　「臺灣省各縣建立鄉鎮圖書館設計要點」，行政院文化建設委員會編，
　　<u>文化建設重要法令彙編</u>(臺北：　編者，民77年)，頁346。

㉒　至79年6月底止，全省已開放營運的207個鄉鎮圖書館共有館員547人，
　　其中已參加中國圖書館學會辦理之圖書館人員研習班或臺灣省圖書館人
　　員研習班者有169人(佔30.9)，未參加者有378人(佔69.1)。見臺灣省政
　　府教育廳，<u>臺灣省鄉鎮縣轄市立圖書館現況與展望</u>(臺中：該廳，民79
　　年)，頁5。

㉓　同註18。

㉔　a. 蕭頻盛，「美國公共圖書館服務標準之沿革(上)」，<u>教育資料與圖</u>
　　　 <u>書館學</u>　26卷3期(Spring 1989)，頁290。

　　b. 王振鴿，「各國圖書館標準之研究」，<u>圖書館學論叢</u>(臺北：學生書
　　　 局，民73年)，頁63。

㉕　中國圖書館學會訂，「公共圖書館標準」，中國圖書館學會編，<u>圖書館</u>
　　<u>學參考書目及法規標準</u>，增訂再版 (臺北：編者，民75年)，頁96-113。

㉖ 同註20，頁166-175。

㉗ 同註17。

㉘ 同註11。

㉙ 同註21，頁343-353。

㉚ 中國視聽教育學會訂，「縣市立文化中心及鄉鎮(市)立圖書館視聽服務準則(草案)」，朱則剛，「文化中心及鄉鎮(市)立圖書館視聽服務現況與展望(續)」，書香季刊 3期(民78年12月)， 頁9-11。

㉛ 美國歷年頒訂之公共圖書館標準如下：

(1)1933年--Standards for Public Libraries;

(2)1943年--Post-War Standards for Public Libraries;

(3)1948年--National Plan for Public Library Service;

(4)1956年--Public Library Service: A Guide to Evaluation，
      with the Minimum Standards;

(5)1962年--Interim Standards for Small Public Lib- rary;

(6)1966年--Minimum Standards for Public Library Systems.

參見a. 王振鵠，「美國圖書館的服務標準」，圖書館學論叢(臺北：學生書局，民73年)，頁165-184。

　　b. 盧秀菊，圖書館規劃之研究(臺北：學生書局，民77年)，頁33-38。

　　c. 同註1a，頁289-304。

㉜ American Library Association, *Minimum Standards for Public Library Systems* (Chicago: ALA, 1967).

㉝ 自1970年代以來，社會變遷、科技發展及美國經濟不景氣等因素，促使公共圖書館標準的觀念改變，至1980年正式出版公共圖書館計劃程序，作為評估之依據。

　　a. Vernon E. Palmour, Marcia C. Bellassai, and Nancy V. Dewath, *A Planning Process for Public Libraries*(Chicago:ALA,1980).

b. 同註8b，頁38-42。

㉞ 同註1a， 頁290。

㉟ American Library Association, *Interim Standard for Small Public Libraries* (Chicago: ALA, 1962).

㊱ 由於美國有百分之四十的圖書館係服務二千五百人以內的小城鎮，而約三分之二是服務在一萬人以下人口的地區，故雖然這種圖書館終將併入圖書館系統之中，在當時仍有制訂這項標準的必要。見註8a，頁178。

㊲ 雷叔雲，「臺閩地區圖書館暨資料單位現況調查報告」，<u>國立中央圖書館館刊</u> 14卷 2期(民70年12月)，頁20-21，38-39。

㊳ 馬少娟，「從我國公共圖書館現況調查與比較探求今後發展之道」，<u>教育資料科學月刊</u> 8卷5、6期(民64年12月)，頁24-28；9卷 1期(民65年1月)，頁26-33；9卷 2期(民65年2月)，頁21-26。

㊴ 中國圖書館學會公共圖書館標準擬訂小組編，<u>中華民國臺閩地區省(市)縣市鄉鎮圖書館現況調查報告</u>(臺北：編者，民65年)。

㊵ 國立中央圖書館編，「臺灣地區圖書館事業現況」，<u>中華民國圖書館年鑑</u>(臺北：編者，民70年)，頁11-247。

㊶ 同前註，頁12。

㊷ 雷叔雲等，<u>臺閩地區圖書館現況調查研究</u>(臺北：國立中央圖書館，民71年)。

㊸ 同註六。

㊹ 國立中央圖書館編，<u>臺閩地區圖書館調查錄----民國七十四年</u>(臺北：編者，民77年)。

㊺ 國立中央圖書館編，<u>第二次中華民國圖書館年鑑</u>(臺北：編者，民77年)，頁210-230。

㊻ 同前註，頁19。

㊼ 中國視聽教育學會，<u>縣市立文化中心及鄉鎮(市)立圖書館視聽服務規劃專案計畫報告書</u>(臺中：臺灣省政府教育廳，民78年)。

(48) 林慶弧，「我國臺灣地區鄉鎮圖書館的發展沿革、現況與經營模式之研究」(國立臺灣大學圖書館學研究所，碩士論文，民79年6月)。

(49) 同註11。

(50) 俞芹芳，「中小型公共圖書館建築設計之研究」(國立臺灣大學圖書館學研究所，碩士論文，民72年7月)。

(51) 雷叔雲等，「文化建設聲中為鄉鎮圖書館請命」，幼獅月刊 49卷5期(民68年5月)，頁13-19；49卷 6期(民68年6月)，頁50-62。

(52) 沈寶環主編，鄉鎮圖書館的理論與實務(臺北: 臺灣書店，民78年)。

(53) 同前註，頁32-35。

(54) 謝寶煖，「大學圖書館內部空間配置之研究」(國立臺灣大學圖書館學研究所，碩士論文，民77年7月)。

(55) 謝寶煖，「公共圖書館之內部空間配置」，臺北市立圖書館館訊 6卷2期(民77年12月)，頁33-37。

(56) 同註18，頁25-32。
訊 6卷 2期(民77年12月)，頁25-32。

(57) 王俊雄，「臺北市立圖書館規劃設計構想」，臺北市立圖書館館訊 6卷2期(民77年12月)，頁38-43。

(58) 砂川幸雄編；李政隆譯，圖書館建築設計實例集(臺北:大佳出版社，民71年)。

(59) 藍乾章，「圖書館的建築與設備的設計規劃」，臺北市立圖書館館訊 6卷 2期(民77年12月)，頁1-5。

(60) 王逸如，「圖書館建築計劃原則」，中國圖書館學會會報 39期(民75年12月)，頁9-15。

(61) 澤本孝久講；王芳雪譯，「圖書館員對圖書館建築的要求」，國立中央圖書館館訊 6卷 3/4期(民73年 1月)，頁299-303。

(62) a. 鬼頭梓講，「圖書館建築設計的原則」，國立中央圖書館館訊 7卷1期(民73年4月)，頁325-329。

b. 鬼頭梓講；黃世孟譯，「圖書館建築之特性與需求」，建築師 10 卷2期(民73年2月)，頁46-48。

c. 鬼頭梓講；黃世孟譯，「圖書館建築設計的方法」，建築師　10卷 2 期(民73年2月)，頁49-53。

㊽ Joseph L. Wheeler and Alfred M. Githens, *The American Public Library Building: Its Planning and Design with Special Reference to Its Administration and Service* (New York: Scribner, 1941).

㊾ Herman H. Fussler,ed., *Library Buildings for Library Service* (Chicago: ALA, 1947).

㊿ Hoyt R. Galvin,ed. *Planning a Library Building: The Major Steps* (Chicago: ALA, 1955).

66 Hoyt R . Galvin and M. Van Buren, *The Small Public Library Building* (Holland: UNESCO, 1959).

67 Martha Boaz,ed., *A Living Library: Planning Public Library Buildings for Cities of 100,000 or Less* (Los Angeles: University of Southern California, 1957).

68 Rolf Myller, *The Design of the Small Public Library* (New York: R. R. Bowker, 1966).

69 James McConnell Orr, ed., *Designing Library Building for Activity* (London: Andre Deutsch, 1972).

70 Aaron Cohen and Elaine Cohen, *Designing & Space Planning for Libraries: A Bahavioral Guide (N. Y.: Bowker,1979).*

71 James Draper and James Brooks, *Interior Design for Libraries* (Chicago: ALA, 1979).

72 Ellsworth Mason, *Mason on Library Buildings* (London: Scarecrow Press, 1980).

⑦③ Nolan Lushington and Willis N. Mills, Jr., *Libraries Designed for Users: A Planning Handbook* (Hamden, Conn.: Library Professional Publications, 1980).

⑦④ Ruth A. Fraley and Carollee Anderson, *Library Space Planning: How to Assess, Allocate, and Reorganize Collections, Resources and Physical Facilities* (New Jersey: Neal Schuman, 1985).

⑦⑤ Anders Dahlgren, *Planning the Small Public Library Building* (Small libraries publication; no.11) (Chicago: Library Administration and Management Association, ALA, 1985).

⑦⑥ Anders C. Dahlgren, *Public Library Space Needs: A Planning Outline* (ED292482).

第二章 鄉鎮圖書館
主要業務機能概述

　　鄉鎮圖書館是我國公共圖書館中最基層的組織，其設置遍及全省，在各類型圖書館之中數量最多，所服務的讀者是一般社會大眾，因此其成敗實關係到整體圖書館事業的發展。自文化觀點而言，鄉鎮圖書館的普遍設置爲文化建設工作的推廣與延伸，使文化資源得以平均分佈，文化生活得以普遍提昇。另自教育發展觀點而言，民主社會中人人具有知的權利及受教育的機會，這一權利不能因環境差異或居地偏遠而受到妨礙或剝奪①，圖書館應由少數人的知識樂園轉變爲書香社會的搖籃②，成爲讀者的生活中心、學習中心與休閒中心。③「臺灣省各縣建立鄉鎮圖書館設計要點」中明訂「鄉鎮圖書館之業務設計，以促使圖書館成爲鄉鎮(市)的文化活動中心爲主要目標」，並以順利發揮下列功能爲先決條件：④

1.圖書館是蒐集整理圖書資料與保存文化遺產的場所。
2.圖書館是一社會教育機構，是民眾自我學習的學校。
3.圖書館是鄉鎮(市)民的休閒育樂中心。

　　爲達成上述功能，鄉鎮圖書館的服務內容必須有所設計，才能眞正符合民眾所需，提昇文化生活。澤本孝久指出，「一個好的圖書館建築，必須根據圖書館的基本功能，達到圖書館經營目的」，「圖書館主要機能有三，即技術服務、公共服務、與經營管理」。⑤ 本章擬就技術服務、讀者服務與行政管理概述鄉鎮圖

書館之主要業務機能。

第一節　技術服務

　　一個圖書館利用價值的高低，完全決定於館藏圖書資料內容的優劣。⑥而館藏圖書資料，若未加以組織和整理，不但館員不便提供讀者服務，讀者也因無目錄可資查尋，而對浩如瀚海的圖書資料茫然不知所措。所以，圖書館技術服務——徵集與分類編目，便是圖書館最基本而重要的任務。

一、　圖書資料徵集

　1.館藏設計：

　　　　伊凡斯(G. Edwin Evans)認爲社區需求是公共圖書館選書時最主要的考慮因素。⑦所以，鄉鎮圖書館館藏之設計，應配合當地民眾之需要，並嚴密而完整的蒐集保存當地文獻。館藏應包括圖書與非書資料，其範圍爲圖書、連續性刊物、官書、論文、手稿、檔案、輿圖、樂譜、小冊子、剪輯、縮影資料、視聽資料，以及地方文物等。⑧鄉鎮圖書館的館藏發展應以下列三點爲努力方向：⑨

　　(1)建立核心館藏：

　　　　　　所謂核心館藏是指新建完成的圖書館，在圖書的選擇上應先購買一些基本性的圖書，包括各種學科的概論書籍、兒童讀物和參考工具書來作爲基本館藏。

　　(2)根據地區特性發展館藏特色：

　　有了核心館藏後，各館應依據個別差異發展自己的館藏特色。欲了解社區特性可參考有關單位的調查統計資料或文字報導資料。如各縣市統計要覽、戶政課人口統計資料，由此可知社區人口數、年齡分佈、性別、職業、教育程度等背景資料，並可參考地方文獻，了解各地區因歷史背景、地理環境、經濟特色而形成的地方特性。這些因素和居民的特殊興趣、職業及生活作息方式有密切關係，自然也會影響圖書館經營方向。⑩

（3）蒐集地方文獻：

　　保存文化是圖書館的最原始功能。因此，鄉鎮圖書館的首要任務，就是地方文獻的保存。⑪地方文獻資料包括鄉志、鄉鎮公所出版品、地方歷史沿革重大事件資料、地理景觀、名勝古蹟、交通行政區域圖、地方人物傳記資料、代表會議事錄、統計資料，及有關地方之調查研究報告、社區雜誌、報紙等。⑫另外亦應廣泛蒐集當地學校的刊物，如校刊、教師著作等。⑬

2.協助選擇圖書資料

　　鄉鎮圖書館館員較少，選擇圖書時難免受個人因素影響而有所偏頗。所以，由館員與讀者組織選書小組似是可行方式。⑭另外，國內目前書目控制做得並不理想，因此，省立台中圖書館既負有輔導責任，在鄉鎮圖書館的選書工作中亦可扮演更積極的角色。⑮

3.分配和控制預算

　　　　圖書館欲將有限經費作合理運用，便有賴館員依照本館的發展特色和館藏的強弱來挑選圖書，以保持館藏在質和量上的均衡發展⑯，並期「以最低的代價，爲最多的讀者，提供最佳的讀物。」⑰

4.辦理圖書的購買、贈送和交換工作

　　　　具體而言，圖書館的採訪工作有下述各項：⑱

(1) 與出版商、書商保持聯絡。

(2) 編製圖書資料訂購記錄，即訂購、續購和擬購的各種記錄。

(3) 驗收圖書資料。

(4) 辦理編目前之準備工作，如登錄、蓋章等。

(5) 管理帳目，以及辦理付款報銷等手續。

(6) 通知介購單位或個人有關推薦書刊購買的辦理情形。

(7) 訂購和驗收所訂的連續性出版品。

(8) 辦理書刊的贈送和交換事宜。

(9) 催補未及時收到的書刊。

(10) 辦理書刊裝訂工作。

　　　　鄉鎮圖書館人少事繁，若能列出購書清單，而委託文化中心代辦採購事宜，則可節省不少人力物力。⑲

二、圖書分類編目

　　　　圖書資料徵集到館後，必須加以妥善地整理與組織，才適於提供讀者利用。所謂整理組織，主要便是指編目分類而言。

　　一般而言，圖書整理工作程序大致為：⑳1.點收；2.檢查複本；3.編目分類；4.審核；5.製片、排片及打製書標、書後袋(卡)、到期單；6.錯誤改編；7.移送閱覽組；8.工作統計。以目前情形而言，鄉鎮圖書館的圖書分類依據應以使用最普遍的賴永祥所編「中國圖書分類法」為宜，類目可不必太細，著者號則採用四角號碼或五筆檢字法。最好能與文化中心統一一致，以因應將來建立縣級公共圖書館網之準備。㉑編目應遵循「中國編目規則簡編」，著錄層次到簡略目錄即可。鄉鎮圖書館在編目時尚可參考較大規模圖書館所編圖書目錄和「出版品預行編目」(CIP)以利編目工作進行。㉒前者如各縣市文化中心圖書目錄和國立中央圖書館出版的中華民國出版圖書目錄。中央圖書館並提供電腦卡片代售服務。後者如台灣學生、聯經、正中、商務等書局，已將編目卡片印於書上，館員可據以抄錄編目資料。

第二節　　讀者服務

　　圖書館蒐藏整理圖書資料，其最終目的在提供讀者利用。讀者服務工作即扮演這讀者與圖書資料的溝通角色，其成效直接影響到圖書館的營運績效與形象建立。劉崇仁教授將讀者服務工作分為閱覽、參考、推廣及對特定對象之服務㉓，盧荷生教授認為閱覽工作可分為館內閱覽、資料典藏和館外閱覽三部份㉔，胡述兆教授則將讀者服務略分為圖書流通、館內閱覽及參考服務。㉕賴月容和林慶弧在討論鄉鎮圖書館讀者服務的經營實務與服務模

式時，則都分別將推廣服務另立一節來討論。㉖台北市立圖書館
組織中，除採編、閱覽二組外，並設有推廣組負責辦理推廣業務
。㉗可見推廣服務在公共圖書館的重要性。蓋因公共圖書館服務
範圍與層次皆廣，須藉推廣服務吸引更多潛在讀者來利用圖書館
。以下分項說明鄉鎮圖書館的各項讀者服務：

一、圖書典藏

　　欲提供良好的閱覽服務，便需要典藏業務為基石。書籍
陳列有序，資料保管完善，不但便於館員管理，更利於讀者
取閱。典藏業務的主要工作為：㉘

1. 排架工作：圖書應按索書號順序排列，書架的排列應有連續
　的次序，以便讀者與館員尋書。
2. 書庫管理：除珍善本書及貴重文物外，應以讀者最方便利用
　為原則。開架式自是優於閉架式。㉙
3. 圖書清查與報銷：圖書館應定期核對館藏記錄與現有圖書，
　順便進行書籍與書架整理，並將遺失與破損不堪的書籍辦理
　報銷。
4. 圖書資料維護：為善盡保存圖書資料責任，並延長其使用年
　限，圖書館應注意控制光線與溫度、預防黴菌滋生、清除灰
　塵、防患蟲害及隨時修補破損書籍。

二、館內閱覽

　　簡單地說，凡是讀者在圖書館內所進行的閱讀活動都算
是館內閱覽。㉚具體而言，它包括了不能外借資料如報紙、

期刊、參考書等的閱覽，以及開架書庫和一般閱覽室內的閱覽自修活動。館內閱覽，應以安靜與便利為基本要求，一切設施與規範，均應符合此兩個原則。㉛辦好館內閱覽工作，應做到下述各項：㉜

1. 妥善規劃閱覽空間。
2. 設計舒適的閱覽環境。
3. 決定閱覽政策，擬訂適當的閱覽規則。
4. 視需要備置影印機、電腦終端機、視聽器材等，並應有操作說明。

三、圖書出納

　　圖書出納，即圖書流通，或稱館外借閱，就是讓讀者把圖書資料借到館外去閱讀，可說是館內閱覽的延長服務。為使出納工作順利推展，鄉鎮圖書館須制訂適當的借閱規則與借閱手續。

1. 借閱規則：包括借閱冊數、借閱期限、預約續借辦法、逾期罰則與遺失賠償辦法等。借閱規則之擬訂旨在維護多數讀者的權益，而非限制讀者。規則內容應簡單精要，明白易懂。
2. 借閱手續：一個好的出納制度應符合手續簡便、處理迅速及記錄正確三項原則。完整的出借記錄應能顯示：某書為何人所借？某人借了那些書？出借的書何時必須歸還？㉝
3. 借閱統計：出納統計資料可作為圖書館服務效能評估之參考數據或作為向上級爭取人員、預算之憑據，並可藉以了解讀者需求趨向，供圖書採購之參考。㉞

4.讀者檔：鄉鎮圖書館應建立完整的讀者檔，包括學歷、興趣及特殊才能等，作爲日後徵求義工之人才資料庫。㉟

四、 參考服務

上述的閱覽服務是圖書館讀者服務的基本項目，而參考服務則可說是主動積極的輔導工作。惟有加強讀者輔導與參考服務，才能取得社會重視與專業尊嚴。㊱然而，目前鄉鎮圖書館礙於人力與館藏不足，要提供完善的參考服務，似乎還有一段相當的距離。㊲但至少應能提供閱讀指導、答覆諮詢及資料複印等服務，並與他館建立館際合作制度。㊳具體而言，參考服務工作有下述各項：㊴

1.選擇適宜的參考資料，佈置理想的參考環境。

2.提供參考諮詢服務，解決讀者疑難問題：這包括(1) 確定問題範圍及了解讀者需要，(2) 判定解答問題所需參考資料的主題與類型，(3) 保存、分析記錄以作爲改進服務的參考。

3.指導讀者有效利用圖書館的各項資源：其方式有個別指導、良好指標系統、參觀活動、編製圖書館手冊等。

4.提供館際互借服務以滿足讀者需求：完善的目錄乃館際互借的前提，藉此服務可使各館資料互通有無，補充本館資料的不足。

五、 期刊服務

所謂期刊，乃定期而繼續出版的刊物，是研究時事、科技新知、最新發展與未來趨勢的最重要資源㊵，深受從事專

業研究與一般讀者所喜愛。期刊在建設基層文化過程中，實有舉足輕重的地位。期刊既是連續性出版物，一經訂閱，就應繼續購買，故尤須慎重。然而目前一般鄉鎮圖書館，對於期刊多未加重視，視之爲可有可無之物，致有斷續現象。㊶所以，鄉鎮圖書館宜重視期刊服務，以滿足讀者需求。

1.圖書館應有期刊至少五十種以上㊷，其來源主要爲訂購或贈送。訂購應以適合一般民衆興趣的普通期刊爲主。另應建立贈送單位名冊及其出版物名稱，定期去函索贈，以充實館藏。

2.期刊內容具參考價值者，應予裝訂保存。對於消遣性、通俗性的過期期刊不予裝訂者，提供外借服務，以補充現階段館藏量流通的不足。㊸

六、　兒童服務

　　兒童服務是公共圖書館服務的主流，也是發展一個國家圖書館事業的重要基石。㊹因爲兒童的可塑性高，在成長階段培養其閱讀興趣及利用圖書館的習慣，日後將終身受益。兒童是每個人成長過程必經的階段，也是目前公共圖書館佔比例相當大的經常利用者。㊺因此，鄉鎮圖書館的兒童服務應該是主動積極而多變化，在「兒童圖書館是將兒童與圖書快樂地結合一起的地方」、「兒童應享受到最優良的讀物」及「閱讀爲孩子們帶來無窮的快樂與好處」的基本信念下，爲兒童們設計各種靜態與動態的服務㊻，使文化建設紮根工作更易落實。

1.人員：以目前鄉鎮圖書館人員普遍缺乏的情況下，很難要求

每一館有專業專任的兒童圖書館員。所以，鄉鎮圖書館應鼓
勵家長、老師、學生及其他關心兒童福利人士參與這份工作。

2. 館藏資料：兒童部門採購圖書應依循兩大原則，一是採購能
滿足最大多數兒童當時需求的讀物，二是將最優良的讀物介
紹給兒童。⑰

3. 兒童服務：圖書館利用教育、讀者顧問服務、參考諮詢服務
及館內外活動、推廣服務等都是兒童服務應致力的工作項目
。⑱

此外，發展多樣性的，改以新面貌推出傳統活動，增加
參與性的活動，及應用多媒體與新科技舉辦活動等都是將來
可能發展的新方向。⑲

七、 視聽服務

在此科技發展日新月異的資訊時代，新媒體不斷發明，
使我們吸收資訊的途徑更爲廣泛，不再倚賴印刷媒體爲唯一
的資訊來源，而廣泛地運用視聽資料，如圖片、電影片、錄
影帶、縮影資料、錄音資料及光碟等。㊿ 一個現代化的圖書
館必須配合其館藏政策及讀者需求，蒐集與提供各類型的圖
書資料。一般而言，公共圖書館的視聽館藏應是以錄影資料
與錄音資料爲主體，其次可能是縮影資料、地圖、地球儀等
。⑤ 臺灣省教育廳委託中國視聽教育學會所作的報告中指出
，回收問卷的133 所鄉鎮圖書館，僅26所有蒐藏視聽資料，
主要爲錄影錄音帶，且多不超過50卷，並均未提供外借與轉
錄服務。⑤ 可見鄉鎮圖書館的視聽服務仍有待努力。

根據「縣市立文化中心及鄉鎮(市)立圖書館視聽服務準則」(草案)之規定，圖書館視聽服務項目宜包括：㊾

1. 提供視聽資料流通服務。
2. 提供視聽資料閱聽設備。
3. 提供視聽資料空間。
4. 指導讀者使用視聽資料及設備。
5. 協助讀者查閱視聽資料目錄。
6. 舉辦團體閱聽活動。
7. 藉助視聽資料推廣圖書館館藏與服務的利用。

　　鄉鎮圖書館的視聽服務尚在起步階段，一時恐難達成準則內各項目標，惟仍應逐年充實視聽設備與館藏，提高視聽服務水準。

八、推廣服務

　　前曾述及，推廣服務為公共圖書館之重要服務項目。現代化的公共圖書館，除了典藏、閱覽等功能外，還應利用各種活動，主動提供民眾吸收新知，充實休閒生活。其具體作法有圖書巡迴服務、展覽、講演、電影電視欣賞、音樂會、講習訓練，及其他各種社教活動等。㊿鄉鎮圖書館在舉辦推廣活動時，應運用下述之策略或方法，讓圖書館真正成為民眾生活的一部分：

1. 加強行銷策略：

　　鄉鎮圖書館如果缺乏民眾，將失去其存在的意義，更將

失去圖書館應有的生命力。因此，「如何吸引讀者不斷地前來利用圖書館」便是一個持續的問題，其解決之道在於館員要主動地去接近讀者，並且熱誠而有外交手腕地讓讀者瞭解圖書館能為他們提供那些服務。(55)圖書館可應用企業經營的理念，加强行銷策略，開發讀者市場。(56)

2.研究讀者需求：

如同企業經營要掌握顧客的需求和購買行為一樣，圖書館應分析讀者與非讀者的特性和態度，以了解民眾需求，提供「適時、適地、適量、適質」的服務(57)，以加强讀者對圖書館的信心，並激發潛在讀者利用圖書館的興趣。

3.善用社區資源

社區資源是指圖書館所在地或鄰近地區中，可以支援圖書館活動的人力、物力、財力等。如當地的民間團體、獅子會、青商會或學校、政府機關、基金會等。(58)圖書館應建立良好公共關係，爭取社區資源，以協助圖書館業務之推展。

第三節　行政管理

圖書館行政，或說圖書館管理，其內涵在於了解圖書館的任務，擬定工作計劃，並充分運用人力、物力及財力，以期發揮圖書館的最高效能，最後則考核成果，以了解任務是否達成、工作計劃是否妥當及執行有無偏差。(59)鄉鎮圖書館的行政工作重點包括：(60)

1. 人力資源的開發利用：人力資源為鄉鎮圖館最重要的資源。
   欲充分發揮人力資源，在作法上，應提昇館員專業素質與管
   理能力，重視館員的繼續教育，運用社區資源成立義工服務
   小組，並爭取社區物力財力的支援。

2. 館務規劃：從事館務規劃，應遵循計劃、執行、考核行政三
   聯制的原則。首應蒐集分析資料，然後擬訂計劃、並付諸實
   行，最後應檢討得失以為借鏡。

3. 經費的籌措與運用：經費來源可能是政府機關或來自社區支
   援。圖書館應有效分配運用購書費、人事費、業務費、設備
   費等。

4. 建築設備規劃：建築設備關係著圖書館整體機能的運作與功
   能的發揮，因此圖書館宜注意理想的空間配置、標準的設備
   ，以及採光、色彩、噪音控制、指標系統等環境設計。

5. 公共關係之建立：鄉鎮圖書館應與地方團體及民意代表建立
   良好公共關係，並多推廣與一般民眾生活有關的活動，以增
   進民眾對圖書館的好感。

註　　釋

① 王振鵠，「鄉鎮圖書館之發展」，社教雙月刊 38期（民79年8月），頁36
　。

② 沈寶環，「成人使用者的教育問題----讀者服務的焦點」，書府 8期（
　民76年6月），頁10。

③ 盧荷生，「我所期待的鄉鎮圖書館」，社教雙月刊 38期（民79年8月），
　頁33-35。

④ 「臺灣省各縣建立鄉鎮圖書館設計要點」，行政院文化建設委員會編，
　文化建設重要法令彙編（臺北：編者，民77年），頁344。

⑤ 澤本孝久講；　王芳雪譯，「圖書館員對圖書館建築的要求」，國立中
　央圖書館館訊 6卷 3/4期（民73年 1月），頁299-300。

⑥ 藍乾章，「圖書館的功能與任務」，中國圖書館學會出版委員會編，圖
　書館學（臺北：　學生書局，民69年），頁184-185。

⑦ a. G. Edwin Evans, *Developing Library and Information Center
　　 Collections*, 2nd ed.(Littleton, Colo.：Libraries Unlimited,
　　 1987), p.113.

　 b. 吳明德，「鄉鎮圖書館的選書工作」，書香季刊 3期（民78年12月）
　　 ，頁17。

⑧ 同註4，頁345。

⑨ 張郁齡，「鄉鎮圖書館的書從那裏來?----圖書的徵集」，沈寶環主編
　，鄉鎮圖書館的理論與實務（臺北：　臺灣書店，民78年），頁48-49。

⑩ 賴月容，「從現階段文化建設談鄉鎮圖書館的經營管理」，書香季刊 3
　期（民78年12月），頁34。

⑪ 張錦郎，「談鄉鎮圖書館的功用」，大學雜誌 101期（民65年10月），頁
　32。

⑫　同註10，頁36。

⑬　同註9，頁49。

⑭　同註7b，頁20。

⑮　同前註。

⑯　王振鵠，圖書選擇法（臺北：　學生書局，民69年），頁88-89。

⑰　a. Melvil Dewey，"The American Library Association", Library
　　　Journal (1877)：　247.

　　b. 胡述兆、吳祖善合著，圖書館學導論（臺北：　漢美，民78年），頁
　　　63。

⑱　同註9，頁41。

⑲　林慶弧，「我國臺灣地區鄉鎮圖書館的發展沿革、現況與經營模式之研
　　究」（國立臺灣大學圖書館學研究所，碩士論文，民79年6月），頁270。

⑳　盛美雲，「分門別類，井然有序----圖書的編目與分類」，沈寶環主編
　　，鄉鎮圖書館的理論與實務(臺北：　臺灣書店，民78年)，頁76-80。

㉑　同註10，頁38。

㉒　同註20，頁95。

㉓　劉崇仁，「圖書館的讀者服務----資料的利用」，中國圖書館學會出版
　　委員會編，圖書館學（臺北：　學生書局，民69年），頁381。

㉔　盧荷生，「圖書館的閱覽、典藏與流通」(臺灣省立師範大學國文研究
　　所，碩士論文，民49年)，頁2。

㉕　同註17b，頁331。

㉖　a. 同註10，頁39-40。

　　b. 同註19，頁276-279。

㉗　臺北市立圖書館工作手冊(臺北：　該館，民74年)，頁1。

㉘　呂姿玲，「圖書館與讀者的第一線接觸」，沈寶環主編，鄉鎮圖書館的
　　理論與實務(臺北：　臺灣書店，民78年)，頁139-150。

㉙　所謂開架，應符合下列三個條件：　(1)排架開放，任讀者自由瀏覽和選

取； (2)閱覽席位與排架適當的混雜擺置；(3)每一區或每一類專門學科部門，都有專業人員隨時提供服務。見何光國，「小港圖書館————沙漠中的一片綠洲」(中央日報，民72年4月20日)，第10版。

㉚ 同註28，頁150。

㉛ 同註17b，頁335。

㉜ 同註28，頁150-152；同註17b，頁335。

㉝ 同註23，頁391。

㉞ 同註10，頁39。

㉟ 同註19，頁274。

㊱ 沈寶環，西文參考資料(臺北： 學生書局，民74年)，頁2(序)。

㊲ 毛慶禎，「鄉鎮圖書館的參考服務」，書香季刊創刊號(民78年6月)，頁37-39。

㊳ 同註4，頁346。

㊴ 林金枝，「上通天文，下知地理————參考服務與參考資料」，沈寶環主編，鄉鎮圖書館的理論與實務(臺北： 臺灣書店，民78年)，頁177-199。

㊵ 同註17b，頁75。

㊶ 臺灣省立臺中圖書館編，臺灣省各鄉鎮縣轄市立圖書館概況(臺中： 編者，民74年)，頁187。

㊷ 同註4，頁345。

㊸ 曾雪芳，「由現階段文化中心圖書館的經營現況談期刊外借問題」，臺北市立圖書館館訊 3卷 3期(民75年3月)，頁33-37。

㊹ 鄭雪玫，「鄉鎮圖書館的兒童部門」，書香季刊創刊號(民78年6月)，頁26。

㊺ Lawrence J. White, *The Public Libraries in the 1980's* (Lexington，Mass： D. C. Heath，1983)，p.101.

㊻ 鄭雪玫，兒童圖書館理論/實務(臺北： 學生書局，民72年)，頁30，

132。

㊼ Sheila G. Ray, ***Children's Librarianship*** (London： Clive-Bingley，1979)，p.57.

㊽ 同註46，頁17-18。

㊾ 鄭雪玫，資訊時代的兒童圖書館(臺北： 學生書局，民76年)，頁52。

(50) 中國視聽教育學會訂，「縣市立文化中心及鄉鎮(市)立圖書館視聽服務準則(草案)」，朱則剛，「文化中心及鄉鎮(市)立圖書館視聽服務現況與展望(續)」，書香季刊 3期(民78年12月)，頁9-10。

(51) 朱則剛，「文化中心及鄉鎮(市)立圖書館視聽服務現況與展望」，書香季刊 2期(民78年9月)，頁4。

(52) 中國視聽教育學會，縣市立文化中心及鄉鎮(市)立圖書館視聽服務規劃專案計畫報告書(臺中：臺灣省政府教育廳，

(53) 同註50，頁9。

(54) 同註4，頁346。

(55) 莊芳榮，「公共圖書館吸引讀者之途徑」，臺北市立圖書館館訊 5卷 4期(民77年6月)，頁6-8。

(56) 鄭吉男，「公共圖書館的現況與發展策略」，臺北市立圖書館館訊 5卷2期(民76年12月)，頁65。

(57) 廖又生，「讀者就是顧客： 論行銷觀念在圖書館經營上之應用」，臺北市立圖書館館訊 4卷 2期(民75年12月)，頁54。

(58) 蔡佳蓉，「傳書香，播新知----推廣服務」，沈寶環主編，鄉鎮圖書館的理論與實務(臺北： 臺灣書店，民78年)，頁219。

(59) 盧荷生，圖書館行政(臺北： 文史哲，民75年)，頁173。

(60) 彭盛龍，「鄉鎮圖書館行政的藝術與技術」，沈寶環主編，鄉鎮圖書館的理論與實務(臺北： 臺灣書店，民78年)，頁22-38。

第三章 鄉鎮圖書館
內部空間需求與規劃

　　在建築設計的領域中，一般視爲最大挑戰的，一是醫院，一是圖書館。圖書館建築之複雜性或許不如醫院，但若以機能及構成要件而言，一般皆認爲圖書館是很難設計的建築物。①圖書館的作業過程與使用需求相當嚴格，若設計上有所差錯，將影響功能運作至鉅。②而功能化永遠爲圖書館建築理論與實務所强調的一個重點。③

　　圖書館規劃設計的主要考慮因素包括使用需求、運作流程，以及良好的空間感。④使用需求屬靜態因素，即藏書量、讀者人數、館員人數及基本設備等之空間需求。運作流程則屬動態因素，考慮讀者、資料與館員動線，使讀者、資料與館員能達到相互間最理想的位置關係。⑤而「大開放空間」與「視覺穿透」之良好空間感，則可提供開闊愉悅與澄心滌慮的感覺⑥，亦便於圖書館未來重新調整空間配置。本章擬探討圖書館內部空間規劃與配置原則，分析館內空間關係，以及內部空間需求，以了解理想的空間配置之相關因素。

第一節　內部空間設計通則

一、 彈性空間

　　彈性(Flexible)空間是圖書館建築設計長久以來所崇尚

的趨勢。韓菲爾(B. Franklin Hemphill)指出，當圖書館發覺空間不敷使用，重新評估空間需求，結果超出目前空間的百分之二十或二十五以下時，重新規劃空間可能是最佳解決方案，可省卻蓋新館或擴建的大筆建築費用。⑦因此，圖書館在內部空間設計上，應以彈性配置使用為主要原則，盡量避免固定隔間。模矩式架構(modular con- struction)⑧是最佳的空間設計，美國圖書館界自二次世界大戰後便普遍採用這種建築結構。⑨圖書館欲追求最大彈性便要使負重牆減少，且模矩或區間(bay)愈大愈好。 雖然也有人對這種設計提出不同意見，如拉辛頓(Nolan Lushington)和鬼頭梓二人皆認為，要讓圖書館的每一個空間都可供做任何一種用途，亦即所有地板均可做書庫荷重用，則可能徒增造價，不符經濟效益。⑩

　　巴勒德(Thomas Ballard)則認為「彈性」這個字在公共圖書館又有一層新的意義，亦即要能提供空間給非印刷資料及取代人工作業的自動化系統。⑪何德(Raymond M.Holt)也認為，對於「彈性」這個字更好的解釋應該是隨著技術演進，可重新規劃空間以增添新的服務、設備和館藏。⑫其意義已不只是能夠將圖書館內部重新規劃而已，並且要能夠任意變更空間的功能，以配合館藏與讀者的成長。

二、 矩形空間

　　圖書館的內部空間以規則、直角的形狀 ── 正方形或長方形 ── 最能有效運用空間，不規則形狀則顯得較沒有效率

，除非是特定的需求。⑬如果是長方形，長寬最佳比例是三比二，最利於動線規劃。⑭從圖 3-1可知細長方形、回字形、L 形、T 形和U 形等都比正方形需要較多的走道，浪費較多空間。另外，入口與樓梯的位置及動線的安排也是決定可用空間大小的因素。⑮ 圖3-2則說明了正方形在空間規劃上較具彈性，而且區內各點至中心距離相等，減少移動路線，亦便於監管。（雖然圓形也有若干這方面的優點，但圓形建築的成本耗費相當大，且因書架等傢具設備多爲長方形，故易形成空間浪費。）細長方形由於聲音反射，比正方形容易產生噪音。與不規則形狀相比，正方形不僅便於監管，移動距離亦短。⑯

三、　動線規劃

所謂動線(traffic　pattern)，簡單地說，就是從某一點移至另一點的路線，例如在圖書館內，從門口到出納台，或從卡片目錄到書庫之移動路線。⑰如果讀者欲至館內某處，卻必須穿越人群或主要服務區才能到達，則可謂動線不佳。良好的動線務使兩點間往來干擾最少，相關服務區距離最短。首先要將讀者服務空間與館員工作空間明確區分，避免交叉混雜，在兩者相接的適當地方配置服務台。鬼頭梓認爲若能做好此點，圖書館的基本構成就算完成。這個基本配置法對圖書館建築設計是最重要的，如有缺陷，日後補救亦難解決問題；若是得當，則遇問題時均能迎刃而解。⑱

在規劃讀者服務空間時，須考慮服務台、資料及閱覽桌

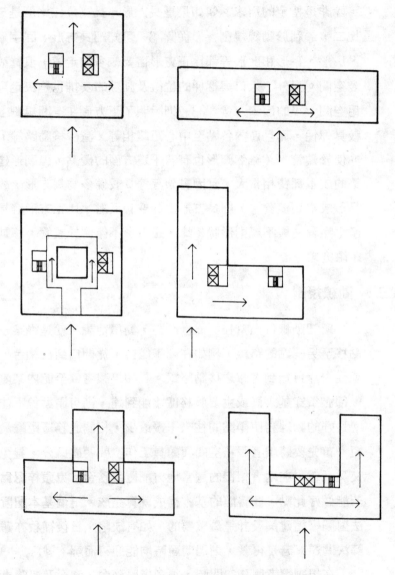

圖 3-1　圖書館空間形狀比較圖

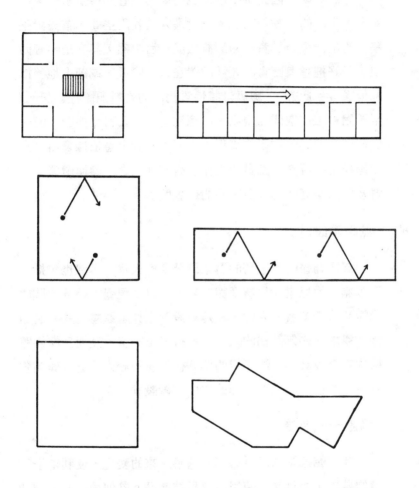

圖 3-2　正方形空間與其他空間比較圖

等的配置問題。因此，平面圖上的傢具配置亦相當重要，可看出圖書館的活動與功能。讀者進入其利用空間，首先對服務台的位置及全館資料的配置要能一目瞭然，其次是噪音問題，最好把會有聲音的區域配置在入口附近，或鋪上地毯以降低噪音。此外， 應儘量將性質相同的資料配置在一起。⑲至於館員工作空間的規劃，則應注意圖書資料從採訪入館、處理到上架等一連串的流程。在配置設計上應依據資料移動的過程而配置圖書館員的工作位置。⑳總之，應使讀者、資料及館員相互間達到最理想的位置關係。

四、 無障礙設計

鄉鎮圖書館所服務的對象既是全體民眾，當然也包括了天眞無邪的兒童、步履遲緩的老人，以及視覺、聽覺或肢體殘障等特殊讀者。因此，在建築設計上亦須顧慮這些讀者的特殊需求。如無階梯的入口、通行無阻的室內交通及樓梯電梯的安全設計等。㉑平坦的樓地板不僅便於人的通行與圖書資料的運輸，亦便於空間的自由配置設計。㉒

五、 適應未來發展

圖書館建築的設計必須能適應未來的變化，便利電子設備的裝置，並且易於使用各種科技產品。㉓何德(Raymond M. Holt) 指出，「當前公共圖書館最明顯的趨勢，可能就是朝向圖書館作業、服務及資源的自動化了。」㉔圖書館逐漸普遍地採用編目、出納及其他例行業務的自動化系統。書目資

訊中心改變了採訪與編目程序，對技術服務帶來很大的衝擊。我國鄉鎮圖書館亦將爲公共圖書館資訊網的起點，由鄉鎮擴大至縣市立文化中心圖書館，構成一區域網路中心，而通達國家書目資訊中心。㉕這些自動化作業設備，將改變圖書館的空間需求，如線上公用目錄取代卡片目錄之際，過渡期間需要額外空間，線上資料庫撿索亦使參考服務需要更大空間。㉖

　　對大多數圖書館而言，自動化系統變更了工作流程與作業程序，卻沒能減少圖書館館員人數；相反地，自動化系統使得工作站更大、更複雜，自然也需要複雜的環境與空間。㉗不過，達格倫(Anders C. Dahlgren)則樂觀地認爲，自動化將使空間的利用更具彈性，因爲傳統的配置型態是以卡片目錄爲中心，技術服務必須緊臨卡片目錄和參考館藏，以查證書目資料，自動化後只須在技術服務部門的終端機查詢即可。如此可簡化動線，使技術服務部門的配置更自由。㉘

　　另一方面，隨著知識爆炸與資訊技術之日新月異，各種形式的出版品快速增加，圖書館館藏也跟著快速成長。除了儲存各種資料的空間需求外，欲利用非印刷資料，亦須添置新的媒體設備。圖書館員尚不至於擔心電子出版品將完全取代印刷型圖書㉙，而書籍和其他印刷品仍將是公共圖書館館藏的主角，梅遜(Marilyn G. Mason)預測「圖書的流通仍將是圖書館服務的重要部份」。㉚

　　自動化科技與社會變遷，將影響未來圖書館建築的設計規劃，瓦特斯(Richard L. Waters)舉出數端，諸如：愈來愈

強調模矩式設計；需要更多的管線與電源插座；愈來愈重視
人體工學；更有效的溫溼度控制以保存各種形式的資料；更
多的傢具(如個人閱覽桌和研究小間)以滿足成人繼續教育的
需求，以及多功能會議室之使用層面愈廣等等。㉛

第二節　　空間關係

　　建築師根據圖書館建築計劃書的需求敍述來設計新館舍。建
築師通常先以關係圖 (relationship diagram)，或稱爲泡泡圖
(bubble diagram)㉜，來表達其依據計劃書的內容，對圖書館內
不同空間之彼此關係的理解。㉝泡泡圖並未限定各個空間的形狀
或傢具之配置，也沒有指出牆壁、隔間及門窗所在，只是作爲平
面圖繪製的基礎。在繪製草圖時，讀者服務空間與各部門的關係
即應反映出泡泡圖中的空間關係概念。傢具的配置在此階段亦應
有所考慮，但還不須做最後確定。若欲改進作業流程或相關服務
空間的交錯關係而須作較大變更，此時便是最佳時機，日後則較
難修改。㉞

　　圖 3-3是位於美國北卡羅來納州的 Mt. Airy 公共圖書館內
部空間關係圖㉟，從這個泡泡圖可知，出納台居中以便直接監管
全部讀者服務空間，而此功能對於文教活動區與行政辦公室則較
不重要。閱覽室位於遠離出納台的角落，兒童室則與其他服務空
間隔開，但可直接通達出納台。黑色三角形分別代表三個入口，
最大的爲主要入口，以與會議室和館員入口有所區別。

　　霍爾 (Richard B. Hall)曾研究美國伊利諾州春田鎮林肯公

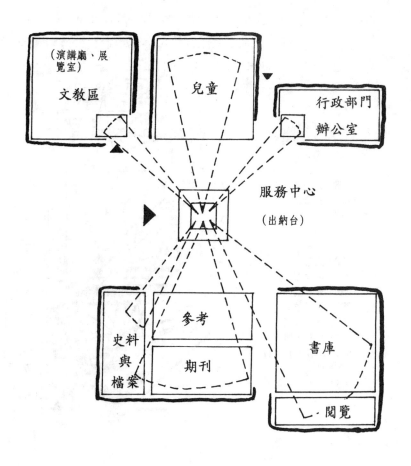

圖 3-3　Mt. Airy(N.C.)公共圖書館內部空間關係
　　　　圖(泡泡圖)

ADM：行政部門
AVR：視聽資料室
BRS：瀏覽區
CAT：卡片目錄
CCS：出納臺
CHS：兒童部門
EXT：推廣服務部門
FIC：小說
NFC：知識性(非小說)
PBE：大眾出入口
PER：期刊部門
PMS：會議室
RFC：參考館藏
RFS：參考部門
SPC：特藏部門
STE：工作人員出口
STS：員工休息室
TCS：技術服務部門

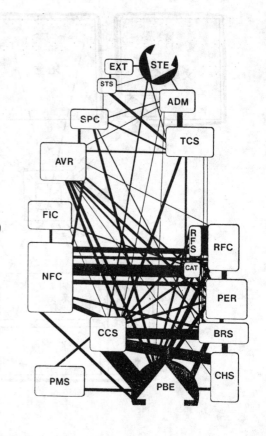

圖 3-4　林肯公共圖書館館內空間動線密度圖

共圖書館（Lincoln Library, The Public Library of Spring-field，Illinois)的空間利用情形，繪圖表示該館各部門空間動線關係㊱，如圖3-4。　圖中連線粗細表示兩部門間來往活動之頻繁程度。

第三節　各區室配置原則

　　臺灣省各縣建立鄉鎮圖書館設計要點中規定：「圖書館得視業務繁簡，配置行政及資料處理、文教活動、參考閱覽、圖書典藏、公共設施所需要之空間。」㊲前一章所述之主要業務機能，鄉鎮圖書館在空間配置上宜包括：

(一)行政管理及資料處理區，包括館長室、辦公室、公用目錄、出納台;

(二)文教活動區包括展覽室、演講廳;

(三)參考閱覽所需空間有期刊室、參考室、開架閱覽室(書庫)、兒童室、視聽室、地方文物室、普通閱覽室(自修室);

(四)公共設施則包括前廳、出入口、廁所、儲藏室、樓梯間、通道、機房所必需之空間。

　　上述最後一項公共設施所需空間，即所謂的不可支配空間(nonassignable space)，或稱爲非機能性空間(nonfunctioning space)，而其他可供圖書館目的使用的則稱爲可支配空間（as-signable space)，或稱爲機能性空間(functioning space)或淨空間(net space)。㊳茲將各區室配置原則分別簡述如下：

一、 入口區：

外在環境與人類行爲之間有密切關係，所以入口處之設計應具備可視度、吸引力及可接近性等三個條件，以吸引路過圖書館的人成爲讀者。㊴柯漢(Elaine Cohen)也認爲圖書館主要入口的設計非常重要，必須能吸引潛在讀者。㊵入口應設在地面樓，無階梯或障礙以便所有讀者進入，特別是殘障讀者。㊶爲減少執行管制和監督工作的人力，宜只設單一出入口以控制讀者進出。㊷至於不須經檢查的活動，如閱報室、儲物櫃、普通閱覽室等，可配置於入口檢查站之外。㊸前廳是進圖書館前的緩衝地帶，可置儲物櫃或展示新書，佈告海報。㊹

二、 出納台

不論圖書館大小，出納台一定是動線最密集的地方。前已述及服務台配置地點的重要性。出納台是圖書館管理與服務之重要據點，應靠近大門口或樓梯口，以便兼帶監管照顧成人與兒童讀者之活動㊺，且可做爲出入館舍之控制點。出納台是讀者辦理借書之處，其位置亦應接近書庫，台前有較寬闊之空間以免造成擁擠，台內要有足夠地方供館員進出與書車流動。㊻鄉鎮圖書館人手不足，出納台可能還須兼具參考服務的功能。自動化出納系統可能需要稍多空間；現若爲人工作業，應預留充分的電源插座，以便將來轉換爲自動化出納系統之用。㊼

三、　卡片目錄區

　　目錄區是另一個動線頻繁的地方，應位於入口顯眼之處，其地點最好在出納台至書庫之間。㊽除了靠近書庫、參考室以便讀者查閱外，亦應考慮到出納台、參考服務台及編目館員查閱之便利。兒童館藏的目錄可置於兒童室內。

四、　參考室

　　參考室或參考服務區應位於入館顯而易見之處，且須同時兼顧剛入館讀者及在閱覽室內讀者之查詢需求。在圖 3-5 中，(a)與(b) 的參考服務台都不能符合這項需求，而(c)的參考服務台配置則較為理想。㊾另外，參考區應鄰近書庫，以免造成讀者在館內往返奔波。㊿在圖3-6中，(a)的讀者從參考區走到書庫，若遇問題須回參考區查詢後再至書庫，如此等於在圖書館內來回兩趟；反之，(b)圖較為理想。

　　上述的入口區、出納台、卡片目錄及參考服務區乃讀者服務集中的地方，均須配置於主樓層。在較小的圖書館，書庫、期刊室和閱覽室也可能配置在此樓層，動線更為密集，須良好規劃以免讀者感到困擾受挫。(51)

五、　期刊室

　　期刊閱覽室往往是全館讀者最多的地方(52)，其配置應以便利讀者為要。鄉鎮圖書館的期刊以休閒性質為主，可與閱報區合併為一休閒閱覽室，須保留空間以積存、整理過期資料。期刊具有新穎性與時效性之特點，故應將此區配置於主樓層並鄰

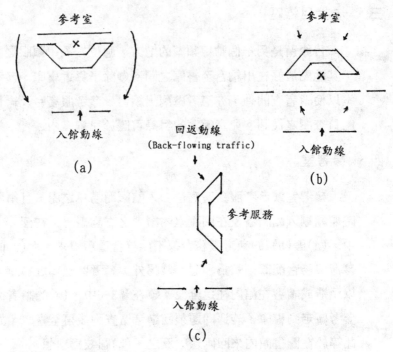

圖 3-5　參考服務台配置示意圖

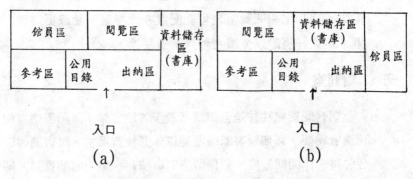

圖 3-6　參考區與書庫位置關係圖

近入口，俾便讀者到館瀏覽。

六、　開架閱覽室(書庫)

　　開架閱覽室的主體當然是讀者、圖書和閱覽空間席，因此在規劃時，就須將人、書和空間三者的關係加以調和，以求取適當的平衡。[52]艾爾華斯(Ralph E. Ellsworth)建議開架閱覽室的配置，宜將書架安排在閱覽室入口和閱覽席位之間，方便讀者自架上取書至座位閱讀，其移動路徑愈短愈好，以減少席間之干擾。[54]易明克認為閱覽席位不一定要離閱覽室入口很近，但應在入口可見之處，入口與閱覽席位之間不要有高大傢具阻隔，以免讀者不見人影而怯步;另閱覽席位應鄰近主動線，但不在主動線上，一方面方便讀者使用，使讀者感受到與閱覽室整個脈動相結合，不致有孤寂感，另一方面則須避免主動線上來往頻繁的不安全感。[55]

　　此外，開架閱覽室內的書架配置須考慮到動線的流暢與良好的空間感。如圖3-7，若閱覽室入口在A或B，則排架以(a)圖為佳，因起點在F1，動線最流暢，讀者最方便；反之，如採(b)圖則較不便。但若入口在C或D，則(b)圖亦是不錯。[56]又如圖3-8，(a)圖的書架走向與自然光源採取同向，並與燈管走向直交的效果最好，書架間可取得較充足光源，且燈管投下之光線亦較能均勻散佈；反之，(b)圖效果較差。[57]再如圖3-9，(a)圖的配置較優，因為「人群主要活動區」的視線可透過書架走道延伸至左方(如左方為自然光源更佳)，穿透感相當好；反之，(b)圖的配置就毫無穿透感可言。[58]

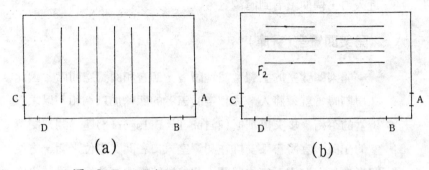

圖 3-7　開架閱覽室書架配置法比較(一)

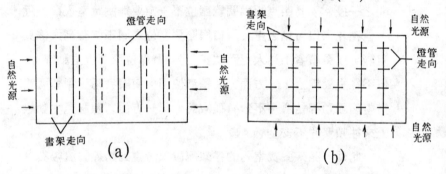

圖 3-8　開架閱覽室書架配置法比較(二)

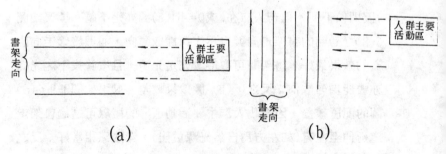

圖 3-9　開架閱覽室書架配置法比較(三)

　　此外，如果空間許可，應儘量將牆壁留給讀者，即將閱覽席位沿牆配置，較合乎人的心理需求，如圖 3-10中，(a)圖比較理想。⑲

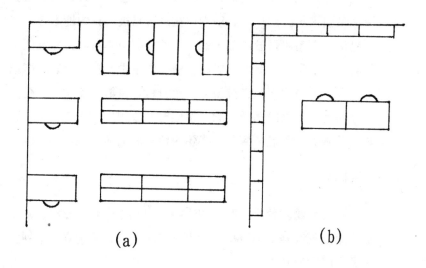

(a)　　　　　　　(b)

圖 3-10 開架閱覽室書架與閱覽席位配置比較圖

七、 兒童室

　　鄉鎮圖書館的兒童室或兒童閱覽區必須以兒童的特性為考量設置的依據。兒童天生好動、好講也好奇，宜設於地面樓層靠正門之進口處，以減少對成人閱讀之干擾。⑳若安排在地下室或二樓，則應有專用樓梯，並應與出納台靠近，俾出納人員可兼帶看顧。㉑兒童年稚天真，對安全的適應能力較差，因此

，室內的陳設、窗戶、樓梯、出入口各方面都應特別注意安全
。⑫

　　兒童室內的空間配置應以矮書架或傢具略加分隔爲流通、
幼兒、年長兒童及活動區等。⑬將圖畫書置於近入口處，既方
便又吸引人，且幼兒們必須安排在最容易被看見的地方⑭，年
長兒童區則可設置於內部，幼兒區的分配應約爲年長兒童區空
間的一半。⑮兒童室內的服務台應位於適中地點，使館員能顧
及全室，且方便與讀者接觸。參考資料、目錄櫃及幼兒區應接
近服務台，使之成爲該室的中樞地帶。⑯如果室內空間不夠寬
廣，應避免擺設過多傢具，寧願保留空間便利兒童走動。⑰

八、　視聽室

　　中國視聽教育學會擬訂的「縣市立文化中心及鄉鎮(市)立
圖書館視聽服務準則(草案)」中規定，鄉鎮圖書館宜有下列空
間提供視聽服務：⑱
(1)個別閱聽卡座；
(2)視聽資料陳列空間；
(3)可視需要另規劃小團體閱聽空間。

　　以圖書館的社教功能而言，朱則剛教授認爲，提供視聽
服務的場所，應以個人使用卡座爲最優先考慮，其次是小團
體(10人以下)使用場所，最後才考慮大團體之使用場所，而
鄉鎮圖書館應以前二者爲主。⑲個人視聽卡座應是處於開放
空間內，小團體則宜採單獨隔間式，二者均應使用耳機以免
相互干擾。圖書館若空間不足，必要時，個人視聽卡座亦可

讓三、五人同時閱聽，惟應注意銀幕(或螢光幕)尺寸的限制。另外,如果視聽資料採開架式管理，則資料存置區與個人閱聽空間通常合而為一，反之則宜分設。⑩

因為讀者經常需要使用視聽設備的協助，所以視聽室應設在便於走到出納台或其他服務台的地方。⑪

九、　普通閱覽室（自修室）

由於國內學子為應付升學考試，對自習場所需求殷切，因此，圖書館的空間若足敷使用，應闢一普通閱覽室供學生自習之用。惟應靠近開架閱覽室以引導學生利用館內各項館藏資源，或設計於出入控制點之外。

十、地方文物室

鄉鎮圖書館可闢一區專門蒐藏地方文物，善盡保存文化之責。地方文物室不須在入口可見處，惟應有明顯標示，應鄰近主要館藏，或併入開架閱覽室中。

十一、辦公室

可分為行政管理辦公室與技術服務辦公室。二者關係密切，應互相鄰近。圖書館如由少數人總括所有業務時，則二者合併設置，其位置要靠近出納台，以兼管出納工作，並充館長室。⑫技術服務部門須鄰近出入口，以便於圖書資料的收發與輸送作業，亦不宜與書庫距離太遠，應預留電腦專用電源插座。另可視圖書館大小或管理上之便利，考慮另闢一

出入口，專供職員出入。此外，職員休息室(包括廚房、衣帽間等)亦應與辦公室接近。

十二、文教活動區

演講廳、展覽室應另闢出入口，以免影響閱讀活動。二者宜相鄰，並附接待室、準備室。演講廳宜採斜坡之梯形設計為佳，不一定要有舞台，但應有銀幕設備及完善的線路插座和音響系統。⑬

第四節　內部空間面積需求

達格倫(Anders C. Dahlgren)認為公共圖書館的空間需求可分為典藏(collections)、讀者席位 (user seating)、館員工作(staff work)、會議(meetings)、特殊用途(special use) 及不可支配 (nonassignable)空間等六大部分來評估。⑭他分九個步驟教導館員計算這六部分的空間需求，並合計得出圖書館的總空間需求。他最後並提出一估算表(參見附錄二)以供館員輕易地依循計算。⑮ 以下僅就典藏、讀者席位及館員工作等圖書館主要利用空間需求列舉相關計算公式：⑯

一、典藏空間

1. 蓋爾文與范布倫建議排架所需空間計算公式如下：⑰

　　　　1平方呎書架空間，排書15冊；

　　　　1平方公尺書架空間，排書160冊；

　　1立方呎書架空間，排書2冊；

　　1立方公尺書架空間，排書70冊；

　　靠牆單面書架，每呎排書50冊；

　　靠牆單面書架，每公尺排書160冊；

　　雙面書架，每呎排書100冊；

　　雙面書架，每公尺排書328冊。

　　上述公式係指整架排書而言，但圖書館每層書架排架長度應不超過架長的三分之二。另建議書架走道平均4.5呎(137公分)，但經常流通書籍之走道，則至少要有 5呎(135公分)寬。

2. 美國小型公共圖書館暫行標準：[78]

人口數	書架長度
2,499以下	1,300呎
2,500 - 4,999	1,300呎(超過10,000冊者，每8冊增加1呎)
5,000 - 9,999	1,875呎(超過15,000冊者，每8冊增加1呎)
10,000 - 24,999	2,500呎(超過20,000冊者，每8冊增加1呎)
25,000 - 49,999	6,300呎(超過50,000冊者，每8冊增加1呎)

3. 紐西蘭圖書館建築標準：[79]

人口數	書架長度
6,000 - 8,000	1,500呎(超過12,000冊者，每8冊增加1呎)
10,000 - 15,000	2,500呎(超過20,000冊者，每8冊增加1呎)
25,000 - 50,000	7,750呎(超過62,000冊者，每8冊增加1呎)

4. 達格倫在計算典藏所需空間時，分四部分計算：⑧

(1)圖書冊數÷10；

(2)錄音錄影帶(recordings)÷10；

(3)展示期刊種數÷1.5；

(4)過期保留期刊種數×0.5×保留年限(years retained)。

將以上四個數字相加，即得所需面積(平方呎)，但達格倫強調應先預估二十年後之館藏量。⑧

另外，書架間走道則以「5呎中心」(5-foot centers)為基準，即書架中心至下一書架中心之距離為 5呎，若以標準書架深20至24吋來算，則走道寬度至少有 3呎。如果一開始能以「 6呎中心」來設計，則將來有擴充書架空間的彈性，且更便於書車與輪椅之通行。⑧

5. 圖書館建築設備標準：⑧

(1)開架式書架每長30公分容書7冊，閉架式書架每長30公分容書6冊。

(2)書庫內書架每排間隔以自甲架中心至乙架中心122至137公分為宜。

6. 臺灣省各縣建立鄉鎮圖書館設計要點：⑧

(1)圖書館藏書數量應以所服務地區民眾每人一冊以上為目標。新館建築至少應預留之藏書容量如下：

大型圖書館 ：15萬冊

中型圖書館 ：10萬冊

小型圖書館 ： 5萬冊

(2)圖書館容量之計算標準，以開架式書庫每一平方公尺 150

冊，閉架式書庫每一平方公尺250冊計，但每層書架排架長
度不能超過架長的三分之二。

(3)閉架式書庫書架間之中心距離 125至150公分，架柱間通道
之最小淨寬度 為90公分。開架式書庫之書架中心距離間距
為165至200公分，架柱間通道之最小淨寬度為120公分。

7.藍乾章教授在其圖書館經營法一書中建議：⑧

　　　開架式書架每呎容書7冊；

　　　閉架式書架每呎容書6冊(預留餘地以備添置)；

　　　書庫每一立方呎容書2冊；

　　　書架每層高度7呎6吋；

　　　書庫內書架每排間隔4呎至4呎6吋。

　　在應用上述公式計算典藏所需空間時，應預估至少二十至
二十五年之館藏量。另外，欲將書架長度換算為模矩空間面積
，可參考柯漢所提供之計算方式(附錄三)。⑧

二、讀者席位空間

1. 蓋爾文與范布倫認為在計算讀者閱覽空間時，應先預估二十
年後之人口數，以決定配置多少閱覽席位，計算方式如下： ⑧

未來人口數	席位
10,000以下	4〜10/每千人
10,000 - 24,000	5〜6/每千人
25,000 - 49,000	3〜4/每千人
75,000 - 99,000	1.5〜2/每千人

每一讀者席位佔地25至30平方呎(2.25～2.75平方公尺)。

2. 美國小型公共圖書館暫行標準：⑧

人口數	讀者空間
2,499以下	最少400平方呎，提供13席。
2,500 － 4,999	最少500平方呎，提供16席， 人口在3,500以上者，每千人增加5席。
5,000 － 9,999	最少700平方呎，提供23席， 人口在5,000以上者，每千人增加4席。
10,000 － 24,999	最少1,200平方呎，提供40席， 人口在10,000以上者，每千人增加4席。
25,000 － 49,999	最少2,250平方呎，提供75席， 人口在25,000以上者，每千人增加3席。

每一讀者席位佔地30平方呎。

3. 紐西蘭圖書館建築標準：⑧

人口數	讀者空間
6,000 － 8,000	900平方呎； 人口在6,000以上者,每千人增加5席。
10,000 － 15,000	1500平方呎； 人口在10,000以上者,每千人增加5席。
25,000 － 50,000	2250平方呎； 人口在25,000以上者,每千人增加3席。

　　每一讀者席位佔地30平方呎。

4. 圖書館建築設備標準：⑩

　　　　每一閱覽席佔地2.25平方公尺。

5. 臺灣省各縣建立鄉鎮圖書館設計要點：⑪

　　(1)館內應設之閱覽席位，應視當地人口情形而定。其一般標準如下：

　　　　大型圖書館：300席

　　　　中型圖書館：250席

　　　　小型圖書館：200席

　　(2)閱覽面積之計算方式以每一席2.25平方公尺計。

　　(3)走道寬度不可少於 150公分，閱覽座位間通道以110至150公分計。

6. 藍乾章教授著圖書館經營法：⑫

　　　　每閱覽席佔地25平方呎。

　　此外，關於演講廳及展覽室所需面積，蓋爾文與范布倫建議演講廳所佔最小空間，為每一席位佔地7平方呎(0.65平方公尺)，若每一席位佔地10平方呎(0.9平方公尺)，則更舒適而合乎標準。⑬在臺灣省各縣建立鄉鎮圖書館設計要點中則規定演講廳所需面積為每一席位 1.6平方公尺計，展覽室所需面積，則以每人1平方公尺計。⑭

三、　館員工作空間

1. 蓋爾文與范布倫對館員工作所需空間建議如下：⑮

　　　　每千人聘用 1/4～1/2人，每一職員佔地100平方呎

（9.3平方公尺）。

2. 美國小型公共圖書館暫行標準：[96]

人口數	館員工作空間
2,499以下	300平方呎
2,500 - 4,999	300平方呎
5,000 - 9,999	500平方呎；超過3人以上，每增1位館員加150平方呎。
10,000 - 24,999	1000平方呎；超過7人以上，每增1位館員加150平方呎。
25,000 - 49,999	1500平方呎；超過13人以上，每增1位館員加150平方呎。

3. 紐西蘭圖書館建築標準：[97]

人口數	館員工作空間
6,000 - 8,000	900平方呎
10,000 - 15,000	1,500平方呎
25,000 - 50,000	3,000平方呎

4. 圖書館建築設備標準：[98]

　　編目室工作人員每人9.0平方公尺；

　　辦公室（普通行政管理）人員每人6.25平方公尺。

5. 臺灣省各縣建立鄉鎮圖書館設計要點：[99]

　　工作人數依照各館編制人數估計之，每人平均6至9平方

公尺計。

6. 藍乾章教授著圖書館經營法：⑩

　　　編目室工作人員每人佔地100平方呎；

　　　辦公室(普通行政管理)工作人員每人佔地75平方呎。

註　　釋

① 砂川幸雄編；李政隆譯，<u>圖書館建築設計實例集</u>(臺北：大佳出版社，民 71年)，頁10。

② 易明克，「圖書館內部規劃與細部設計經驗談」，<u>臺北市立圖書館館訊</u> 6卷 2期(民77年12月)，頁25。

③ 張鼎鍾編，<u>圖書館建築趨勢</u> (臺北：三民書局，民79年)，頁2(序)。

④ 同註2，頁25-26。

⑤ 鬼頭梓講；黃世孟譯，「圖書館建築設計的方法」，<u>建築師</u>10卷2期(民 73年2月)，頁52。

⑥ 同註2，頁26。

⑦ B. Franklin Hemphill, "Alternatives to the Construction of a New Library", ***Library Trends*** 36 (Fall 1987):401-402.

⑧ 所謂模矩架構，乃建築架構的一種，將地面均分為幾部分，在角落以柱 子標明而不是以承重牆隔開，這種系統可依不同部門之需求，而做更改 與擴充。見「圖書館建築常用名詞選介」，張鼎鍾編，<u>圖書館建築趨勢</u> (臺北：三民書局，民79年)，頁286。

⑨ 凱塞(David Kaser) 著；張鼎鍾譯，「廿五年來學術圖書館建築之規劃 」，<u>圖書館學與資訊科學</u> 12卷2期 (民75年10月)，頁240。

⑩ a. Nolan Lushington，"Some Random Notes on Functional Design ," ***American Libraries*** 7 (February 1976):92.

　 b. 鬼頭梓講；黃世孟譯，「圖書館建築之特性與需求」，<u>建築師</u>10卷2 期(民73年2月)，頁48。

⑪ Thomas Ballard, ***Knowin' All Them Things That Ain't So: Managing Today's Public Library*** (Urbana-Champaign:University of Illinois , Graduate School of Library and Information Science, 1985), p.

15.

⑫　Raymond M. Holt, "Trends in Public Library Buildings", *Library Trends* 36 (Fall 1987):275.

⑬　Anders Dahlgren, *Planning the Small Public Library Building* (Small libraries publication; no.11) (Chicago:Library administration and Management Association, ALA, 1985), p.10.

⑭　William S. Pierce, *Furnishing the Library Interior*. (Books in Library and Information Science, v.29.)(New York: Marcel Dekker , 1980), p.9.

⑮　Aaron Cohen and Elaine Cohen, *Designing & Space Planning for Libraries: A Bahavioral Guide* (N. Y.: Bowker, 1979), p.63.

⑯　Ibid., p.65.

⑰　James Draper and James Brooks, *Interior Design for Libraries* (Chicago: ALA，1979)，p.27.

⑱　鬼頭梓講，「圖書館建築設計的原則」，國立中央圖書館館訊 7卷 1期(民73年4月)，頁326。

⑲　同前註，頁327。

⑳　同前註，頁328。

㉑　a. Robert J. Sorenson，*Design for Accessibility* (New York: McGraw-Hill，1979).

　　b. 俞芹芳，「中小型公共圖書館建築設計之研究」(國立臺灣大學圖書 館學研究所，碩士論文，民72年7月)，頁55-60。

㉒　同註10b，頁47。

㉓　Richard L. Waters，"The Public Library Building Tomorrow，" *Library Trends* 36 (Fall 1987):466.

㉔　Holt, op., cit., p.278.

㉕　胡歐蘭，「國家書目資料庫及其資訊網之發展」，中國圖書館學會第三

十六屆年會專題討論參考資料: 圖書館資源與國際交流 (民77年12月),
頁9。

㉖ Holt, op. cit., p.279.

㉗ Ibid., p.273.

㉘ a. Anders C. Dahlgren, "Designing the Flexible Small Library,"
Library Hi Tech 5 (Winter 1987):79-80.

b. 謝寶煖,「大學圖書館內部空間配置之研究」(國立臺灣大學圖書館
學研究所,碩士論文,民77年7月),頁81。

㉙ 沈寶環,「未來的圖書館,『無紙』行嗎?」,書府 9期(民77年6月),
頁10-12。

㉚ Marilyn Gell Mason,"The Future of the Public Library,"
Library Journal 111 (September 1, 1985):139.

㉛ Waters, op. cit., pp.468-469.

㉜ 所謂泡泡圖(bubble diagram),是指將圖書館中,一組相關單位或活動
,在紙上概略地畫出有關地區及其各單位在平面上的關係。同註8,頁
265。

㉝ Dahlgren,op. cit.,pp.8-9.

㉞ Ibid., p.9.

㉟ Ibid.

㊱ Richard B. Hall, "The Library Space Utilization Methodology, "
Library Journal 104 (December 1, 1978):2381.

㊲ 「臺灣省各縣建立鄉鎮圖書館設計要點」,行政院文化建設委員會編,
文化建設重要法令彙編(臺北: 編者,民77年),頁348。

㊳ a. HBW Associates,Inc.,"Planning Aids for a New Library
Building," *Illinois Libraries* 67:9(November 1985):798.

b. 參見註8,頁262,278。

㊴ 莊芳榮,「公共圖書館的新角色: 開放式學習中心」,教育資料與圖書

館學 26卷3期 (Spring 1989)，頁257。

㊵ Elaine Cohen, "Designing Libraries to Sell Ser vices, " ***Wilson Library Bulletin*** 55 (November 1980):190-191.

㊶ Pierce，op. cit., p.10.

㊷ 同註18，頁327。

㊸ 謝寶煖，「公共圖書館之內部空間配置」，臺北市立圖書館館訊 6卷2期(民77年12月)，頁34。

㊹ 同註38，頁350。

㊺ 王征譯；H. R. Galvin，M. Van Buren 合著，「小型公共圖書館之建築(The Small Public Library Building)(二)」，教育資料科學月刊 8卷3期(民64年9月)，頁19-20。

㊻ a. Draper and Brooks，op. cit.，p.31. b. 同註38，頁349。

㊼ Dahlgren，op. cit.，p.12.

㊽ Draper and Brooks，op. cit.，p.31.

㊾ Robert Pierson，"Appropriate Settings for Reference Service, " ***Reference Services Review*** (Fall 1985):15, 17, 18.

㊿ Ibid., pp.17-18.

(51) Draper and Brooks, op. cit., p.28.

(52) 辜瑞蘭，「期刊閱覽室的設計」，耕書集 (民74年4月25日)，第2版。

(53) 同註2，頁26。

(54) Ralph E. Ellsworth, ***Academic Library Buildings: A Guide to Architectural Issue and Solutions*** (Boulder, Colo. : The Colorado Associated University Press, 1973), pp.69-70.

(55) 同註2，頁28-29。

(56) 同前註，頁26。

(57) 同前註，頁27。

(58) 同前註。

⑤⑨ Aaron Cohen and Elaine Cohen, p.81.

⑥⓪ 同註38，頁348。

⑥① 同註46，頁20。

⑥② "Safety and Health Evaluation," *Illinois Libraries* 60:10 (December 1978):871-874.

⑥③ 鄭雪玫，「鄉鎮圖書館的兒童部門」，書香季刊創刊號(民78年6月)，頁28。

⑥④ M. A. Bush, "Space: Factors in Planning and Use." *Illinois Libraries* 60 (December 1978): 900.

⑥⑤ Lionel R. McColvin, "Buildings and Equipment, " *Public Library Services for Children* (UNESCO, 1957), P.44.

⑥⑥ 鄭雪玫，兒童圖書館理論/實務(臺北：學生書局，民72年)，頁111。

⑥⑦ 同註63。

⑥⑧ 中國視聽教育學會訂，「縣市立文化中心及鄉鎮(市)立圖書館視聽服務準則(草案)」，朱則剛，「文化中心及鄉鎮(市)立圖書館視聽服務現況與展望(續)」，書香季刊 3期(民78年12月)，頁10。

⑥⑨ 朱則剛，「文化中心及鄉鎮(市)立圖書館視聽服務現況與展望」，書香季刊 2期(民78年9月)，頁5。

⑦⓪ 同前註。

⑦① Dahlgren, op. cit., p.14.

⑦② 同註38，頁348-349。

⑦③ 同前註，頁349。

⑦④ Anders C. Dahlgren, *Public Library Space Needs: A Planning Outline* (ED292482), p.1.

⑦⑤ Ibid., pp.25-26.

⑦⑥ 相關的度量衡換算式如下：

1呎=0.3048公尺，1公尺=3.2808呎；

1平方呎=0.0929平方公尺，1平方公尺=10.7643平方呎；

1坪=3.3平方公尺，1平方公尺=0.303坪。

⑦ 王征譯；H. R. Galvin，M. Van Buren 合著，「小型公共圖書館之建築 (The Small Public Library Building)(三)」，教育資料科學月刊8卷4期(民64年10月)，頁25。

⑧ American Library Association, *Interim Standard for Small Public Libraries* (Chicago: ALA, 1962).

⑨ 王振鵠，「各國圖書館標準之研究」，圖書館學論叢(臺北:學生書局，民73年)，頁100。

⑧ Dahlgren, *Public Library Space Needs*, op. cit., pp.5-6.

⑧ Ibid., p.7. 其人口與應有館藏冊數之計算公式如下：

人口	冊數	期刊種數	錄音錄影帶
	(每人)	(每千人)	(每千人)
2,000人以下	6.0	20.0	118
2,000至3,999	6.0	20.0	150
4,000至7,999	5.0	16.0	133
8,000至14,999	3.5	12.5	116
15,000至24,999	3.25	11.0	121
25,000至49,999	3.0	8.5	111
50,000以上	2.5	7.0	100

欲計算二十年後之館藏量，則將每年之淨成長量(net-additions)乘以二十，加上目前的館藏量即得。

⑧ Dahlgren，*Planning Library Building*, op. cit., p.13.

⑧ 中國圖書館學會臺灣省圖書館事業改進委員會訂，「圖書館建築設備標準」，中國圖書館學會編，圖書館學參考書目及法規標準，增訂再版(臺北:編者，民75年)，頁169。

⑧ 同⑧，頁351。

㉘ 藍乾章，<u>圖書館經營法</u>，增訂四版(臺北：著者，民67年)，頁24。

㉙ Aaron Cohen and Elaine Cohen, op. cit., pp.79-81.

㉚ 同⑱，頁26。

㉛ ALA, *Interim Standard*, op. cit.

㉜ 同⑲.

㉝ 同㉝，頁166。

㉞ 同㉞，頁351。

㉟ 同㉟。

㊂ 同⑱，頁26。

㊃ 同㉞，頁351。

㊄ 同⑱，頁26。

㊅ ALA, *Interim Standard*, op. cit.

㊆ 同⑲。

㊇ 同㉝，頁166-167。

㊈ 同㉞，頁351。

⑩ 同㉟。

第四章　我國臺灣地區
鄉鎮圖書館內部空間
配置分析與討論

第一節　鄉鎮圖書館建設現況

一、　發展經過概述

　　鄉鎮圖書館的發展是近年來圖書館界的大事，頗受關注並引起熱烈討論。這項文化建設活動的緣起經過，於第一章已略有說明。從民國73年開始，臺灣省政府教育廳，奉當時省主席邱創煥先生之指示，積極研擬「臺灣省加強文化建設重要措施」，並於74年3月12日公布，自75會計年度起實施三年,首要重點工作即為輔導並補助各鄉鎮縣轄市建立圖書館。① 在該重要措施實施之前，全省設有鄉鎮圖書館者共有103個鄉鎮(市)，另有7個鄉鎮(市)正興建中。換言之，全省309個鄉鎮(市)中，尚有有199個鄉鎮(市)未建立圖書館。②

　　民國77年11月21日，臺灣省政府再訂頒「臺灣省加強文化建設第二期重要措施」，並自78會計年度起實施，為期三年，其中第一項執行重點仍為鄉鎮圖書館之建設--「充實鄉鎮(市)圖書館，並發揮其功能。」③總計這六年(75年度至80年度)，臺灣省政府共編列了新台幣11億1千936萬元。④ 在硬體建設部分，補助199個鄉鎮(市)興建新館及重建或改建21館;內部設備與館藏資料

方面，補助充實各館之圖書資料、視聽設備及內部基本設備；在圖書館經營方面，則舉辦研習班與觀摩會、研修組織章程、委託拍攝圖書館利用法與圖書館教學錄影帶，以及委託編撰圖書館工作手冊等等⑤，投入許多人力與經費，可說是辦得有聲有色。

二、 現 況

　　經過省、縣及各鄉鎮(市)幾年來的努力推動,全省309個鄉鎮(市)中，除了南投市、彰化市及台東市因已有文化中心圖書館，不再興建市立圖書館外，其餘306個鄉鎮(市) 均已核定設置鄉鎮(市)立圖書館。⑥可是這幾年來，由於地價上漲、土地取得不易，建築工程基本勞力不足且工資大幅提高，承包商承包公共建築工程意願低落等等不利因素之影響，造成部分鄉鎮圖書館至今仍未興建完成。⑦林慶弧在其問卷調查結果中指出，至78年12月底止，全省已開放使用圖書館的鄉鎮(市)共有174個，達56.31%。⑧

　　最近一次的詳細統計數字,為79年9月臺灣省政府教育廳所發表的一份報告，報告中指出，至79年6月底止,全省鄉鎮圖書館之設置情形如下(詳細數字見表4-1)：⑨

　1.已興建完成並開放正常營運者--207個鄉鎮(市)；

　2.已興建完成尚未開放者--36個鄉鎮(市)；

　3.興建中者--63個鄉鎮(市)；

　4.不興建者--3個鄉鎮(市)，即南投市、彰化市與台東市。

　　在已開放營運的207館中,總建坪達47,285坪(156,314平方公尺)，平均每館為228.4坪(755平方公尺)，詳見表4-2。其中平均數未達預定目標每館200坪以上者為宜蘭縣、嘉義縣、屏東縣、

表 4-1　台灣省各縣鄉鎮縣轄市立圖書館統計表

數　區 　目　分 縣　　別	鄉鎮市數	已開放 圖書館者	已完工 未開放者	興建中者	未發包者	不興建者
宜蘭縣	12	5 (1)*	0	3	4	0
台北縣	29	14 (7)	5	1	9	0
桃園縣	13	13 (12)	0	0	0	0
新竹縣	13	9 (3)	1	1	2	0
苗栗縣	18	11 (4)	0	5	2	0
台中縣	21	16 (10)	3	1	1	0
南投縣	13	9 (4)	0	0	3	1
彰化縣	26	14 (8)	3	2	6	1
雲林縣	20	17 (7)	1	1	1	0
嘉義縣	18	11 (5)	3	0	4	0
台南縣	31	17 (1)	9	4	1	0
高雄縣	27	20 (10)	4	2	1	0
屏東縣	33	23 (20)	7	0	3	0
台東縣	16	11 (2)	0	2	2	1
花蓮縣	13	12 (5)	0	0	1	0
澎湖縣	6	5 (4)	0	1	0	0
合　計	309	207(103)	36	23	40	3

1. 統計資料時間至79年6月30日止。
2. *( )內之數字為未實施「鄉鄉有圖書館」計畫之前已有舊館的鄉鎮市數。
3. 南投市、彰化市、台東市三市因市區內已有文化中心圖書館，故不擬興建。

資料來源：台灣省政府教育廳，台灣省鄉鎮縣轄市立圖書館現
　　　　　況與展望(台中：該廳，民79年)，頁11。

表 4-2 台灣省各縣鄉鎮縣轄市立圖書館館舍狀況統計表
(資料時間：79年6月30日止)

縣別 \ 區分 數目	總建坪 (平均)	獨棟	合建
宜蘭縣	956(191.2)	4	1
台北縣	3,885(277.5)	2	12
桃園縣	3,123(240.2)	6	7
新竹縣	1,897(210.8)	8	1
苗栗縣	3,016(274.2)	10	1
台中縣	3,867(241.7)	13	3
南投縣	2,044(227.1)	5	4
彰化縣	4,818(344.1)	10	4
雲林縣	3,668(215.8)	13	4
嘉義縣	1,994(181.3)	11	0
台南縣	4,364(256.7)	9	8
高雄縣	4,677(233.9)	11	9
屏東縣	3,974(172.8)	19	4
台東縣	2,318(210.7)	10	1
花蓮縣	2,110(175.8)	10	2
澎湖縣	574(114.8)	2	3
合 計	47,285 (228.4)	143	64
		207	
		69.1%	30.9%

資料來源：台灣省政府教育廳，台灣省鄉鎮縣轄市立圖書館現況與展望(台中：該廳，民79年)，頁12。

花蓮縣及澎湖縣等五縣。就鄉鎮(市)而言，未達200坪以上者計有南澳鄉立圖書館等82館(其中有24館未達100坪)，佔39.6%。而207館中，獨立(獨棟)建館者有143館（佔69.1%)，與其他單位合建者有64館(佔30.9%)。⑩

以上是館舍現況分析，至於其他營運現況如人力現況、館藏統計與開放時數等統計資料則詳見附錄四。其中每館平均有 2.6人，館藏14,796冊。

第二節　鄉鎮圖書館內部空間 配置分析

為了解鄉鎮圖書館內部空間配置情形，特選擇部分鄉鎮圖書館實地調查訪問。首先以電話訪問各縣(澎湖除外)文化中心圖書館負責輔導鄉鎮圖書館業務之館員，請其提供該縣鄉鎮圖書館於內部空間配置方面最理想、最不理想及普通各一，以為訪視依據。然後，於民國79年間， 先後實地走訪上述之45個(3×15縣)鄉鎮圖書館，調查各館之基本資料，了解其空間配置概況，並繪製平面配置圖。訪問行程詳見附錄五。

以下擬就訪視對象一一分析說明，並附平面配置圖如后：

一、 宜蘭縣蘇澳鎮立圖書館（圖4-1)

啓 用 年：民國69年

規　 模：一層(3樓)，建築面積52坪(180平方公尺)

服務人口：5萬3千人

館員人數*：1人　　　　　　（ *含管理員、工友及臨時人員）

館　藏　量：5,000冊

閱覽席位：102席

空間配置：圖書館位於公所三樓，館舍太小，空間規劃欠妥，且未區分各服務空間，閱覽席位主要供學生自習用，失去開架閱覽室之意義。

二、 宜蘭縣羅東鎮立圖書館 (圖4-2)

啓　用　年：民國76年

規　　　模：二層(2,3樓)，建築面積200坪(660平方公尺)

服務人口：6萬4千人

館員人數：4人

館　藏　量：19,000冊

閱覽席位：330席

空間配置：與民衆活動中心共用大樓，二、三樓爲圖書館，爲一設備新穎、空間寬敞之新館建築。二樓爲兒童閱覽室，所佔面積爲受訪45館中最大。視聽敎室設於兒童室內，似只提供兒童讀者使用。兒童室出納台設於前廳閱覽室門外，即不便管理亦不便兒童辦理借還書，故設而不用。

三樓爲期刊、閱報、自修室及書庫。前三者共用一室，有相互干擾之虞，且期刊置於離入口最遠處，而座位多爲學生自習佔用，對成人讀者頗爲不便。另書庫太小，未配置桌椅，參考書並置於

書庫內。

三、　宜蘭縣南澳鄉立圖書館（圖4-3）

啓　用　年：民國67年

規　　　模：一層，建築面積48坪（160平方公尺）

服務人口：5千多人

館員人數：1人

館　藏　量：12,030冊

閱覽席位：16席

空間配置：南澳爲一山地鄉，館舍規模小，有期刊閱報室，
　　　　　　書庫及文物室，閱覽席位少，且配置於書庫之外

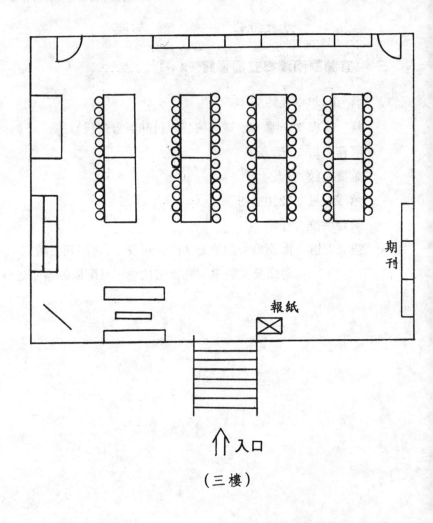

期刊

報紙

入口

(三樓)

圖 4-1　宜蘭縣蘇澳鎮立圖書館平面配置圖

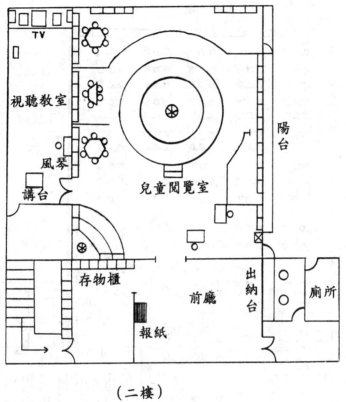

（二樓）

⇧入口
（一樓）

圖 4-2　宜蘭縣羅東鎮立圖書館平面配置圖

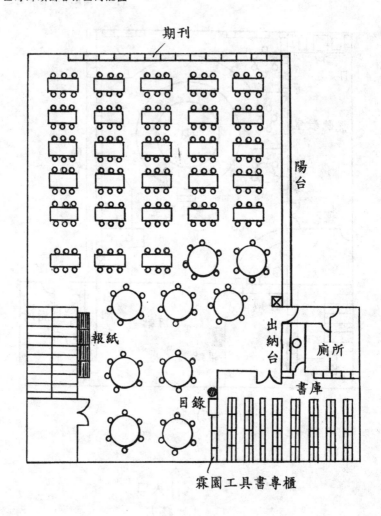

圖 4-3　宜蘭縣羅東鎮立圖書館平面配置圖(續)

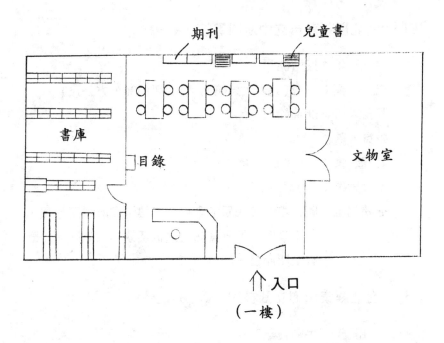

圖 4-3　宜蘭縣南澳鄉立圖書館平面配置圖

四、 台北縣新莊市立中港圖書館（圖4-4）

啓用年：民國68年

規　　模：一層(2樓)，建築面積100坪(330平方公尺)

服務人口：26萬餘人

館員人數：4人

館　藏　量：3,000冊

閱覽席位：129席

空間配置：圖書館設於民衆活動中心二樓，書庫爲閉架式，
　　　　　，自修室與期刊閱報室以低矮期刊架隔開。以既
　　　　　有空間而言，配置尙可。

五、 台北縣泰山鄉立圖書館（圖4-5）

啓用年：民國75年3月

規　　模：二層(2、3樓)，建築面積192坪(636平方公尺)

服務人口：5萬人

館員人數：5人

館　藏　量：15,000冊

閱覽席位：156席

空間配置：圖書館爲四層樓建築，一樓爲社區托兒所，二、
　　　　　三樓爲圖書館，四樓爲社區活動中心。二樓爲普
　　　　　通閱覽室供學生自修，三樓爲開架閱覽室與視聽
　　　　　室。此二樓層之配置若能對調較佳，既可吸引學
　　　　　生利用館藏，其他讀者(包括兒童)也可少爬一層

樓梯。　開架閱覽室已呈飽和,且兒童區、參考區
與期刊區的空間明顯太小又未加區隔,如此規劃
較爲不妥。

六、　台北縣林口鄉立圖書館 （圖4-6）

啓 用 年：民國79年12月

規　　　模：三層(含地下1樓),建築面積297坪　（980平方公
　　　　　尺）

服務人口：3萬人

館員人數：3人

館 藏 量：9,790冊

閱覽席位：254席

空間配置：一樓爲開架閱覽室,二樓爲自修室、視聽室,地
　　　　　下一樓爲兒童室。整體而言,配置頗佳,然未規
　　　　　劃參考室,視聽室離館員稍遠,較不便管理與服
　　　　　務。

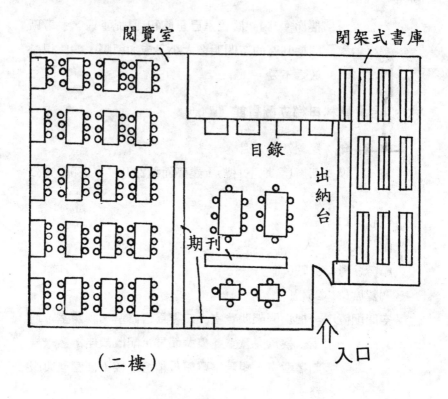

（二樓）

圖 4-4 台北縣新莊市立圖書館平面配置圖

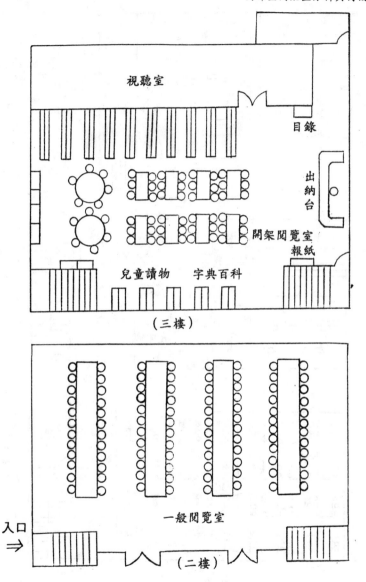

圖 4-5 台北縣泰山鄉立圖書館平面配置圖

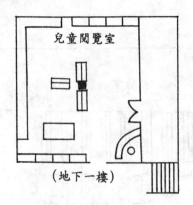

（地下一樓）

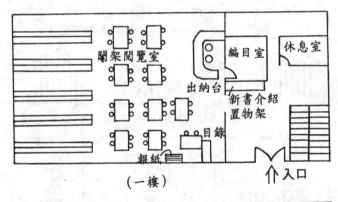

（一樓）

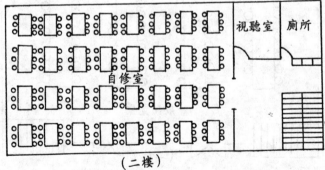

（二樓）

圖 4-6 台北縣林口鄉立圖書館平面配置圖

七、　桃園縣桃園市立圖書館（圖4-7）

啓 用 年：民國74年10月

規　　　模：一層(2樓)，建築面積200坪(659.7平方公尺)

服務人口：23萬8千人

館員人數：2人

館 藏 量：24,000冊

閱覽席位：268席

空間配置：與市民代表會共用大樓,且緊鄰縣立文化中心。
館舍原非爲圖書館功能設計的空間。
書庫爲閉架式,空間狹小,另以低矮期刊架區隔
期刊室,以玻璃區隔辦公室,餘四分之三空間皆
爲自修室。殆因文化中心緊鄰旁側,故此圖書館
未積極規劃空間運用,功能未能發揮,但自修室
使用率極高。

八、　桃園縣龜山鄉立圖書館（圖4-8）

啓 用 年：民國69年3月

規　　　模：二層(2,3樓)，建築面積191坪(630平方公尺)

服務人口：8萬5千人

館員人數：4人

館 藏 量：25,600冊

閱覽席位：200席

空間配置：二樓爲書庫、期刊室、兒童閱覽室,三樓爲自修
室。

館舍未採固定隔間，利用書架區隔，可彈性調配
運用，是其優點。惟空間有限，書庫已飽和，無
法配置閱覽桌椅及提供參考與視聽服務空間。自
修室獨佔一個樓層，空間寬敞。

九、 桃園縣平鎮鄉立圖書館 (圖4-9)

啓 用 年：民國64年3月

規　　模：二層(另有閉架式書庫四層)，建築面積215坪
　　　　　(710平方公尺)

服務人口：13萬5千人

館員人數：3人

館 藏 量：25,300冊

閱覽席位：150席

空間配置：館舍三樓借救國團使用，一樓爲期刊室、自修室
　　　　　、閉架式書庫(四層)，部分較新圖書置於閱覽室
　　　　　之書架並上鎖，做爲區隔期刊室與自修室。二樓
　　　　　供自修用。自修室佔去大部分空間，而兒童與參
　　　　　考服務空間皆未規劃，館員僅能提供簡單的圖書
　　　　　出納服務。館舍除書庫外未固定隔間，而樓梯間
　　　　　位置較不理想。

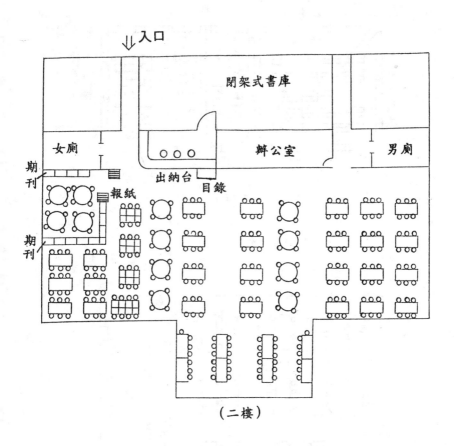

圖 4-7　桃園縣桃園市立圖書館平面配置圖

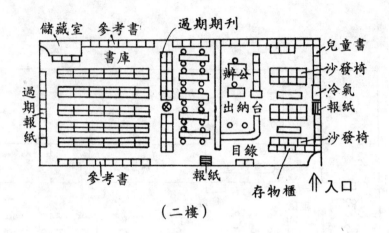

（二樓）

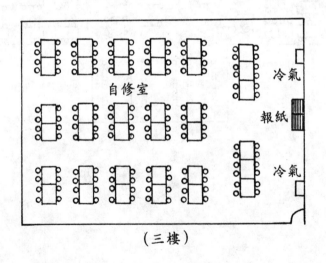

（三樓）

圖 4-8　桃園縣龜山鄉立圖書館平面配置圖

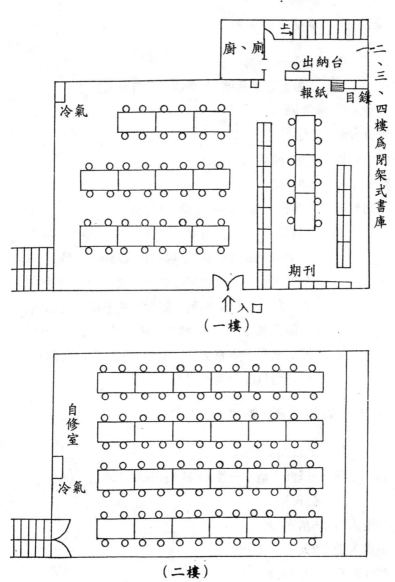

圖　4-9　桃園縣平鎮鄉立圖書館平面配置圖

十、 新竹縣北埔鄉立圖書館 (圖4-10)

啓 用 年：民國78年7月

規　　模：二層，建築面積220坪(726平方公尺)

服務人口：1萬餘人

館員人數：2人

館 藏 量：4,000餘冊

閱覽席位：100多席

空間配置：一樓有五個房間，分別爲辦公室、編目室、兒童
閱覽室、期刊室及半開架書庫， 二樓爲三間自
修室與一間會議室(可規劃爲視聽室使用)。 隔
間太多，造成管理與服務之不便。 書庫原爲閉
架式設計，但對館員、讀者均甚不便， 且出納
台離書庫亦遠， 故權宜做法爲館員輪流在兒童
閱覽室與書庫值班，一室開放另一室則關閉。
出納台只好設而不用。

十一、 新竹縣湖口鄉立圖書館 (圖4-11)

啓 用 年：民國78年4月

規　　模：五層(含地下一樓)，建築面積303坪(1,000平方
公尺)

服務人口：5萬1千人

館員人數：3人

館 藏 量：30,000冊

閱覽席位：206席

空間配置：一樓爲兒童室、期刊室，二樓爲書庫（含參考書
　　　　　區）；三樓爲自修室，四樓爲展覽室。各樓層運
　　　　　用頗符合空間配置原則。視聽室正在規劃中。

十二、　新竹縣新豐鄉立圖書館 （圖4-12）

啓 用 年：民國　年 月

規　　　模：二層，建築面積　坪（　　平方公尺）

服務人口：3萬4千人

館員人數：　人

館 藏 量：　萬冊

閱覽席位：120席

空間配置：一樓爲書庫、期刊室、兒童室,二樓爲自修室。
　　　　　館舍固定隔間與中庭都是不當設計，在空間利用
　　　　　上形成浪費。尤其書庫空間小，顯然難以應付將
　　　　　來之館藏成長，又其設在入口處且採半開架式管
　　　　　理，不合乎配置原則。

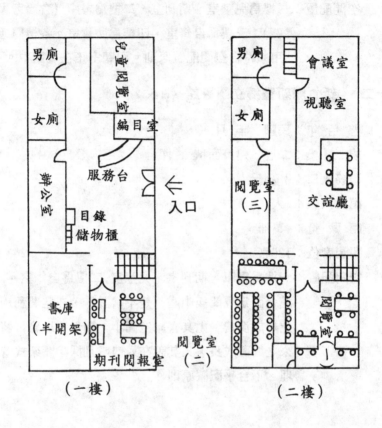

圖 4-10　新竹縣北埔鄉立圖書館平面配置圖

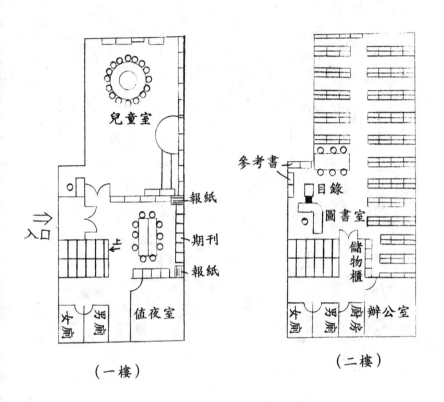

（一樓）

（二樓）

圖 4-11　新竹縣湖口鄉立圖書館平面配置圖

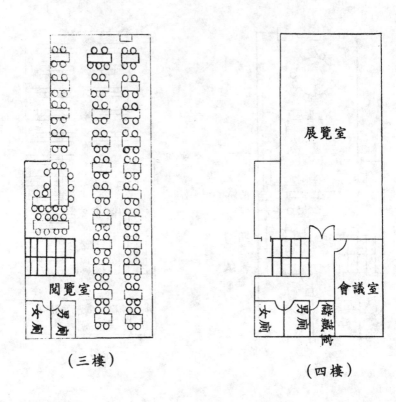

（三樓）

（四樓）

圖 4-11　新竹縣湖口鄉立圖書館平面配置圖（續）

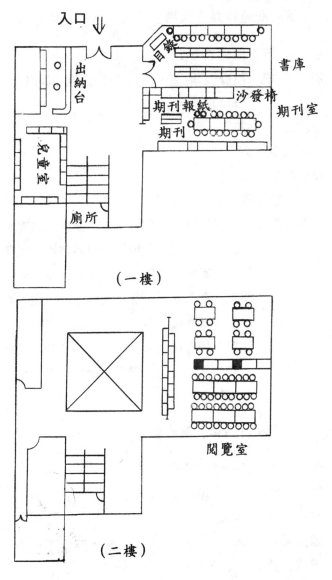

圖 4-12　新竹縣新豐鄉立圖書館平面配置圖

十三、 苗栗縣苑裡鎮立天慶圖書館 (見圖4-13)

　啟　用　年：民國79年1月
　規　　　模：四層(含地下一樓)，建築面積490坪(1,617平方
　　　　　　　公尺)
　服務人口：5萬人
　館員人數：2人
　館　藏　量：14,000冊
　閱覽席位：188席
　空間配置：一樓爲兒童室、期刊室，二樓爲自修室、三樓爲
　　　　　　　會議室、展覽室，地下一樓爲書庫。視聽室則未
　　　　　　　規劃。書庫略嫌閉塞，無閱覽桌椅，未完全符合
　　　　　　　開架閱覽要求，且無法發揮參考功能。除了書庫
　　　　　　　之外，其他區室空間寬敞，配置亦相當理想，尤
　　　　　　　其第二樓梯間之設計，可做爲會議、展覽之來往
　　　　　　　人潮的上下通道，避免干擾到閱讀活動，可說是
　　　　　　　理想的設計。

十四、 苗栗縣竹南鎮立萬春圖書館 (圖5-14)

　啟　用　年：民國63年10月
　規　　　模：二層，建築面積206坪(680平方公尺)
　服務人口：6萬餘人
　館員人數：4人
　館　藏　量：34,000冊
　閱覽席位：300席

空間配置：一樓爲辦公室、自修室、期刊室、書庫，二樓爲
　　　　　兒童閱覽室、自修室、資料室。

　　　　　自修室佔地大，使用率亦高，相形之下其他空間
　　　　　不敷使用，尤其書庫採半開架式，已呈飽和，故
　　　　　將部分圖書存放於二樓自修室靠牆之鐵櫃中，並
　　　　　不理想。該館計劃加蓋三樓，以解決書庫空間不
　　　　　足問題並增設視聽室。該館無固定隔間，爲其空
　　　　　間規劃可取之處，故近年來能陸續增闢資料室收
　　　　　集鎮治文獻及成立兒童室。惟兒童室若能設於一
　　　　　樓當更爲理想。

十五、　苗栗縣公館鄉立圖書館 (圖4-15)

啓　用　年：民國73年10月
規　　　模：一層(4樓)，建築面積136坪(450平方公尺)
服務人口：3萬3千人
館員人數：2人
館　藏　量：20,000多冊
閱覽席位：94席
空間配置：圖書館借用鄉公所三樓禮堂，空間原非爲圖書館
　　　　　功能設計，但空間寬敞，且無固定隔間；然該館
　　　　　並未妥善規劃利用。書架沿牆擺置，且採半開架
　　　　　式管理，大半空間乃供學生自習使用，期刊置於
　　　　　離入口最遠處，參考書置於一書櫃，兒童圖書亦
　　　　　少。無卡片目錄。

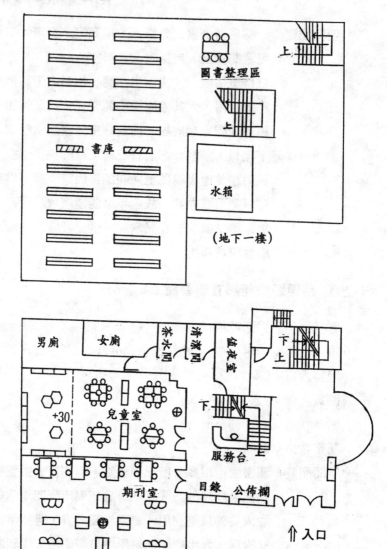

圖 4-13　苗栗縣苑裡鎮立天慶圖書館平面配置圖

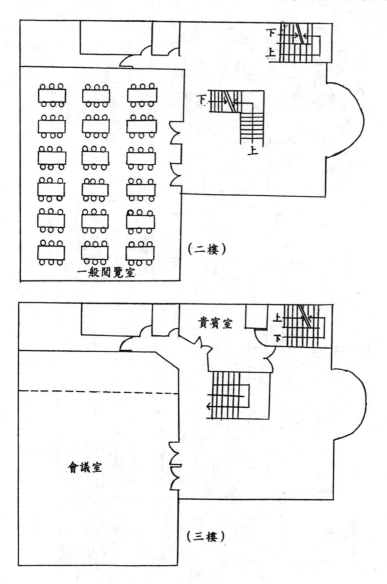

（二樓）

一般閱覽室

（三樓）

貴賓室

會議室

圖 4-13　苗栗縣苑裡鎮立天慶圖書館平面配置圖（續）

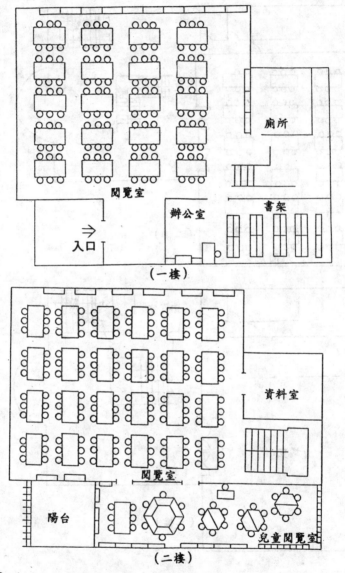

（一樓）

（二樓）

圖 4-14 苗栗縣竹南鎮立萬春圖書館平面配置圖

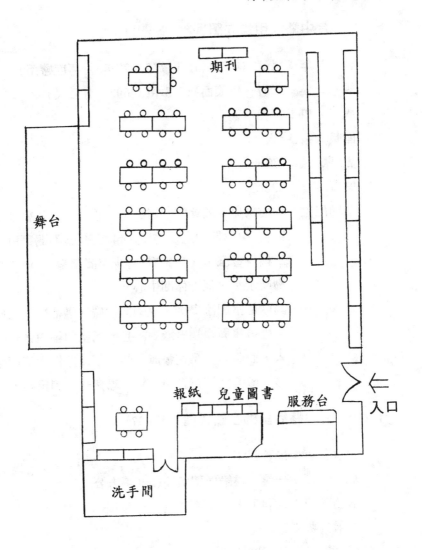

圖 4-15　苗栗縣公館鄉立圖書館平面配置圖

十六、 台中縣大甲鎮立圖書館 (圖5-16)

啓 用 年：民國73年3月(75年擴建，77年3月再度啓用)

規　　模：三層，建築面積513坪(1,693平方公尺)

服務人口：7萬3千人

館員人數：4人

館 藏 量：2萬冊

閱覽席位：392席

空間配置：一樓爲兒童閱覽室、辦公室、接待室、新書展示
　　　　　區,二樓爲期刊室、書庫、自修室(普通閱覽室),
　　　　　三樓爲會議室、自修室(青少年閱覽室)、地方文
　　　　　物展示室、長青休閒中心。

　　　　　館內區室配置齊全，建築面積廣，堪稱得天獨厚
　　　　　。惟書庫與視聽室過狹，且視聽室須經由書庫進
　　　　　入，而服務台又在書庫門外，不便於提供適切服
　　　　　務。參考室僅在書庫一隅，顯然未受到重視。

十七、 台中縣后里鄉立圖書館 (圖5-17)

啓 用 年：民國73年

規　　模：一層，建築面積91坪(300平方公尺)

服務人口：5萬4千人

館員人數：2人

館 藏 量：10,300冊

閱覽席位：23席

空間配置：圖書館位於鄉公所後面，館舍與救國團合用，二
　　　　　樓爲救國團會議室。館內空間未作適切劃分，自
　　　　　修室、書庫、期刊室皆合併一處使用，不符規劃
　　　　　原則。無兒童室、參考室、卡片目錄，且館內有
　　　　　一桌球檯，影響閱覽氣氛。

十八、　台中縣烏日鄉立圖書館 (圖4-18)

啓 用 年：民國72年

規　　模：三層，建築面積173坪(570平方公尺)

服務人口：5萬4千人

館員人數：4人

館 藏 量：22,000冊

閱覽席位：124席

空間配置：圖書館緊鄰公所正後方，一樓爲期刊閱報室，二
　　　　　樓爲自修室，三樓爲書庫。
　　　　　期刊閱報室空間未妥善規劃管理；書庫若能設於
　　　　　二樓，與自修室空間交換較爲理想；書庫內閱覽
　　　　　席位少，且未規劃兒童閱覽區，亦爲設計欠妥之
　　　　　處。

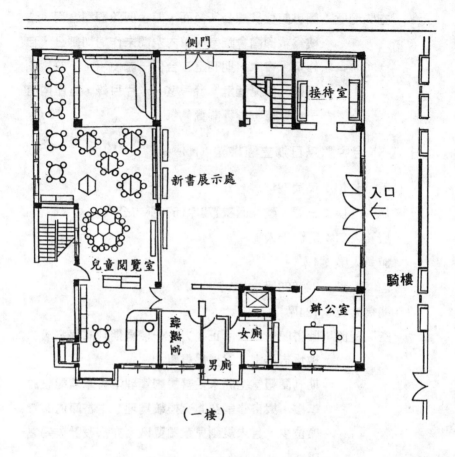

(一樓)

圖 4-16 台中縣大甲鎮立圖書館平面配置圖

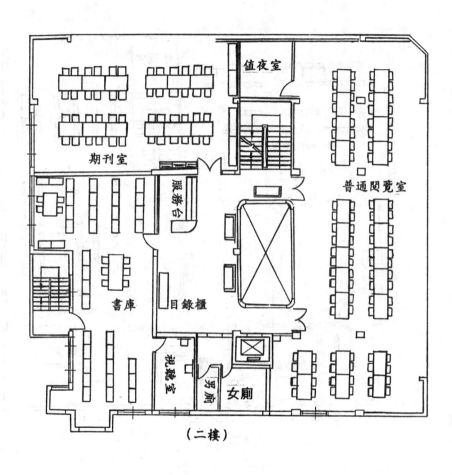

（二樓）

圖 4-16　台中縣大甲鎮立圖書館平面配置圖(續)

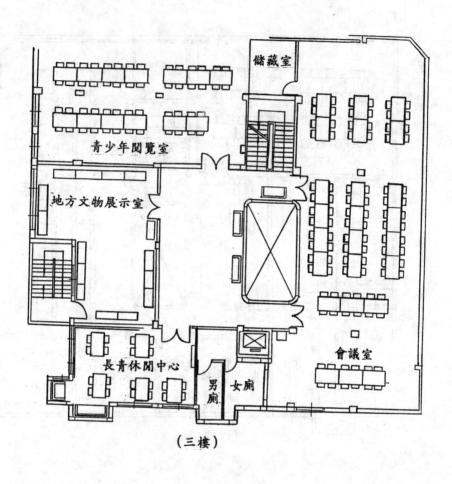

（三樓）

圖 4-16　台中縣大甲鎮立圖書館平面配置圖(續)

〔鄉公所〕

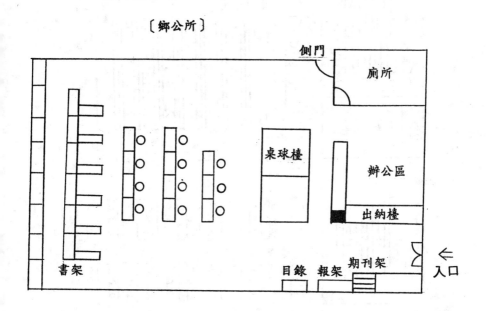

圖 4-17 台中縣后里鄉立圖書館平面配置圖

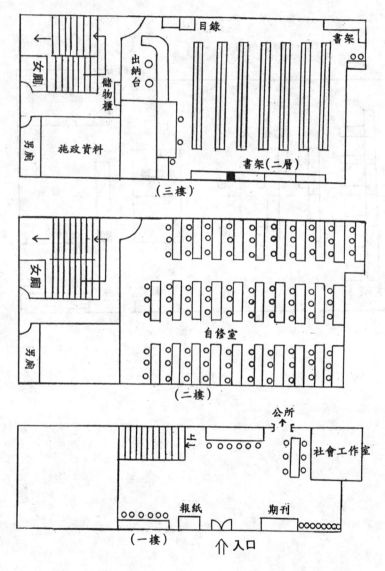

圖 4-18　台中縣烏日鄉立圖書館平面配置圖

十九、　南投縣草屯鎮立圖書館 （圖4-19）

　　啓 用 年：民國70年7月

　　規　　模：三層(含地下1樓)，建築面積384坪(1,267平方
　　　　　　　公尺)

　　服務人口：9萬人

　　館員人數：5人

　　館 藏 量：26,000冊

　　閱覽席位：150席

　　空間配置：地下一樓爲期刊室，一樓爲辦公室、兒童室、自
　　　　　　　修室，二樓爲會議室、獅子會與國際青商會辦公
　　　　　　　室、簡平安先生紀念室，另二樓夾層爲書庫。
　　　　　　　書庫空間狹小，已飽和，且與出納台不在同一樓
　　　　　　　層，館員無法照顧書庫內活動。將自修室配置於
　　　　　　　入口右側，在空間利用上略嫌可惜。因當初建館
　　　　　　　時向獅子會、青商會募捐，故保留房間予其使用
　　　　　　　，其空間不能完全供圖書館運用，殊爲可惜。

二十、　南投縣中寮鄉立圖書館 （圖4-20）

　　啓 用 年：民國74年10月

　　規　　模：一層(2樓)，建築面積92坪(302平方公尺)

　　服務人口：1萬4千人

　　館員人數：3人

　　館 藏 量：8,400冊

閱覽席位：60席

空間配置：圖書館位於綜合活動中心二樓，與代表會共用一
　　　　　個樓層。倘代表會開會，想必會干擾到圖書館之
　　　　　正常運作。

　　　　　館舍分為兒童室與館員休息室各一間，另期刊室
　　　　　與書庫共用一室。館舍面積據實地觀察並不如館
　　　　　方所稱報之數字(實地量測不到150平方公尺)。

　　　　　書架與閱覽席位之配置不理想。以鐵櫃代用書架
　　　　　，設備不符一般規格。期刊報紙亦離入口處較遠。

二十一、 南投縣名間鄉立圖書館 (圖4-21)

啓 用 年：民國78年12月

規　　模：一層(3樓)，建築面積220坪(726平方公尺)

服務人口：4萬1千人

館員人數：2人

館 藏 量：9,000餘冊

閱覽席位：126席

空間配置：圖書館與衛生所、消防隊、戶政事務所合建一綜
　　　　　合大樓，三樓全層為圖書館所在。

　　　　　該館全室無固定隔間，空間易做彈性規劃，目前
　　　　　僅以書架或盆栽區隔為服務區、兒童閱讀區、期
　　　　　刊報紙閱覽區、成人閱覽區、書庫區及展覽區。
　　　　　以既有空間論，規劃配置甚為理想，惟應留意兒
　　　　　童活動對成人閱讀可能造成的干擾。

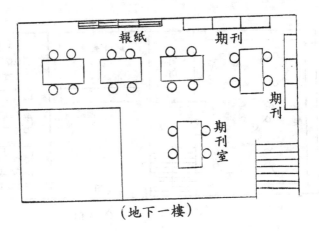

（地下一樓）

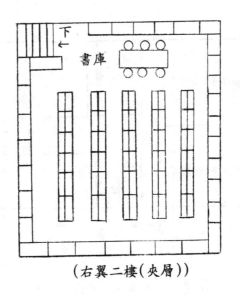

（右翼二樓（夾層））

圖 4-19 南投縣草屯鎮立圖書館平面配置圖

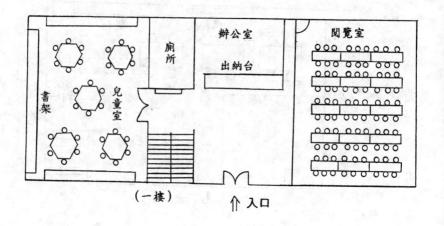

（一樓）

⇑入口

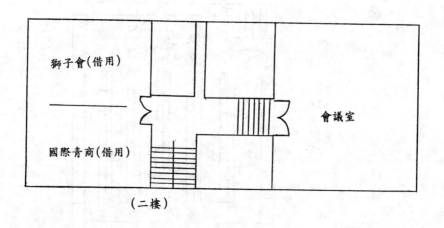

（二樓）

圖 4-19　南投縣草屯鎮立圖書館平面配置圖(續)

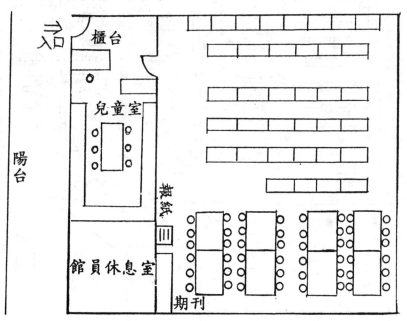

圖 4-20　南投縣中寮鄉立圖書館平面配置圖

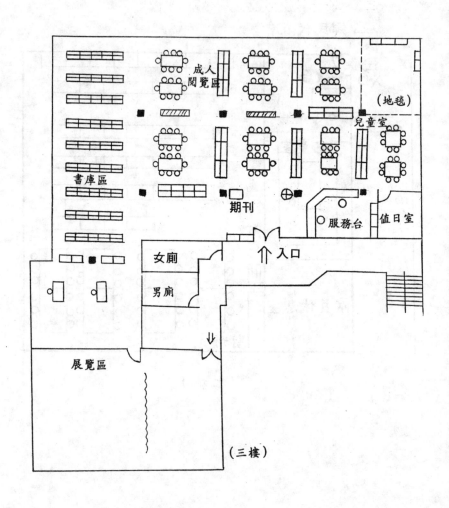

圖 4-21 南投縣名間鄉立圖書館平面配置圖

二十二、　彰化縣鹿港鎮立圖書館（圖4-22）

　　啓 用 年：民國77年9月

　　規　　模：四層(含地下一樓)，建築面積345.6坪(1143.57
　　　　　　　平方公尺)

　　服務人口：7萬人

　　館員人數：4人

　　館 藏 量：13,000冊

　　閱覽席位：218席

　　空間配置：鹿港圖書館之剖面圖與北斗圖書館類似（見圖4-
　　　　　　　23）。地下一樓爲書庫、參考室與資料處理區，
　　　　　　　二樓爲期刊室、自修室，三樓爲會議室、展覽室
　　　　　　　。擬將一樓辦公室重新規劃爲視聽室。
　　　　　　　館舍空間安排大致符合配置原則，期刊室與自修
　　　　　　　室以書架隔間是可取之處，但書庫內書架與閱覽
　　　　　　　席位相距較遠，且參考室過於隱密，宜稍做調整
　　　　　　　更爲理想。另辦公室佔用入口處最佳服務點，頗
　　　　　　　爲可惜。

二十三、　彰化縣北斗鎮立圖書館（圖4-23）

　　啓 用 年：民國75年7月

　　規　　模：四層(含地下一樓)，建築面積424坪(1272平方公
　　　　　　　尺)

　　服務人口：3萬1千人

館員人數：4人

館　藏　量：26,000冊

閱覽席位：165席

空間配置：一樓前半部爲兒童室、期刊室，後半部爲書庫與圖書整理室；二樓前半部爲參考資料室、辦公室，後半部爲第一自習室；三樓前半部爲藝文活動室，後半部爲第二自習室；地下一樓爲儲藏室。

若圖書館爲長方形空間，而入口是在較短的一邊如北斗圖書館者，則樓梯間設計於館舍中央亦不失爲理想設計，如此可減少讀者至各區室之移動路徑及可能形成的相互干擾。然而相對地，各室空間大小便受到限制，這是當初規劃時宜注意的。北斗圖書館之空間頗能充分利用，動線規劃亦佳。但書庫已呈飽和，應設法解決。另自習室空間大，可再規劃視聽室或藏書空間。

二十四、　彰化縣大城鄉立圖書館 （圖4-24）

啓　用　年：民國76年10月

規　　　模：二層(2,3樓)，建築面積146坪(482平方公尺)

服務人口：2萬3千人

館員人數：1人

館　藏　量：6,400冊

閱覽席位：48席

空間配置：圖書館爲三層樓之建築，但一樓規劃爲福利社，

僅二、三樓爲圖書館功能空間。二樓爲書庫，三
樓爲自修室，空間未充分規劃利用。視聽室擬配
置於二樓。

閱覽席位太少，然空間尚稱寬敞，以後仍可添置。

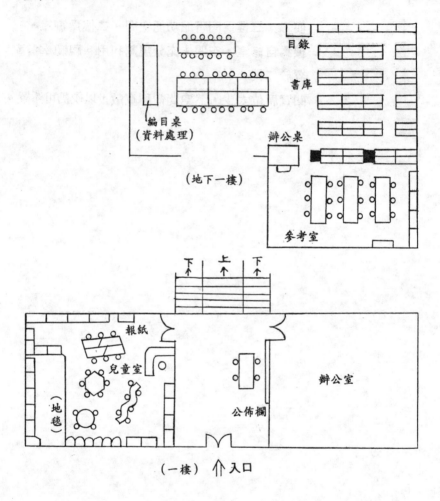

圖 4-22 彰化縣鹿港鎮立圖書館平面配置圖

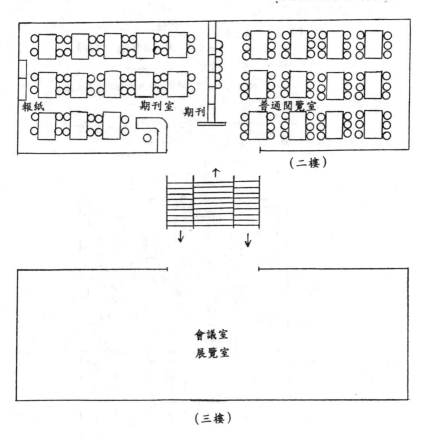

（二樓）

（三樓）

圖 4-22 彰化縣鹿港鎮立圖書館平面配置圖(續)

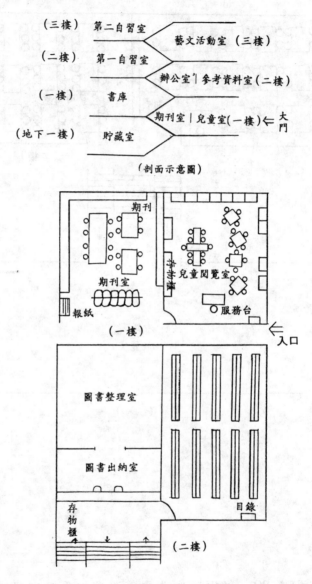

（三樓）第二自習室

藝文活動室（三樓）

（二樓）第一自習室

辦公室｜參考資料室（二樓）

（一樓）書庫

期刊室｜兒童室（一樓）←大門

（地下一樓）貯藏室

（剖面示意圖）

期刊

期刊室

報紙

存書庫

兒童閱覽室

服務台

（一樓）

入口

圖書整理室

圖書出納室

存物櫃

目錄

（二樓）

圖 4-23　彰化縣北斗鎮立圖書館平面配置圖

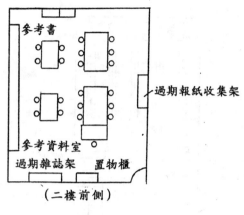

（二樓前側）

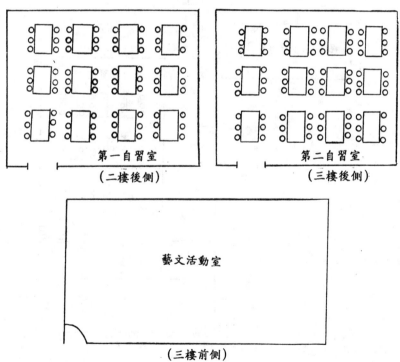

圖 4-23　彰化縣北斗鎮立圖書館平面配置圖(續)

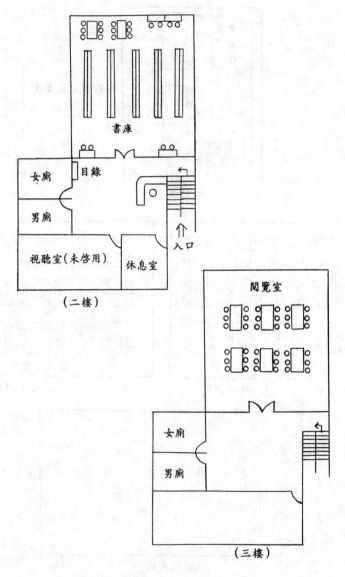

圖 4-24 彰化縣大城鄉立圖書館平面配置圖

二十五、　雲林縣東勢鎮立圖書館 (圖4-25)

　　啓 用 年：民國78年1月

　　規　　　模：四層(含地下一樓)，建築面積240坪(792平方公
　　　　　　　　尺)

　　服務人口：2萬多人

　　館員人數：2人

　　館 藏 量：16,000冊

　　閱覽席位：150席

　　空間配置：一樓爲期刊室、自修室，二樓爲書庫，三樓爲兒
　　　　　　　　童閱覽室。另地下一樓未規劃。

　　　　　　　　兒童室設於高樓、自修室配置在主樓層，皆不符
　　　　　　　　合規劃原則。

　　　　　　　　期刊置於一樓離入口最遠處，資料處理在二樓書
　　　　　　　　庫主動線上，皆有動線交叉干擾之虞，空間利用
　　　　　　　　略嫌浪費。

二十六、　雲林縣林內鄉立圖書館 (見圖4-26)

　　啓 用 年：民國72年

　　規　　　模：一層(2樓)，建築面積33坪(110平方公尺)

　　服務人口：2萬2千人

　　館員人數：3人

　　館 藏 量：16,000冊

　　閱覽席位：50席

空間配置：圖書館設於公所旁二樓，爲一狹長空間，水泥地
面，設備簡陋，僅有書架數座及座椅若干，
且座位背對走道，較不符人的心理需求。整個
館舍無任何規劃可言。

二十七、 雲林縣四湖鄉立圖書館 (圖4-27)

啓 用 年：民國77年

規　　　模：三層，建築面積170坪(560平方公尺)

服務人口：3萬9千人

館員人數：1人

館 藏 量：6,000冊

閱覽席位：56席

空間配置：一樓爲期刊室，二樓爲書庫，三樓尚未規劃利用。
館舍空間頗易於安排配置，然未充分利用，僅有
少數書架桌椅塡充空間而已。

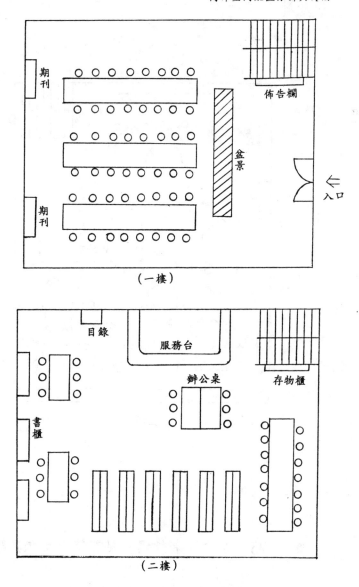

（一樓）

（二樓）

圖 4-25　雲林縣東勢鎮立圖書館平面配置圖

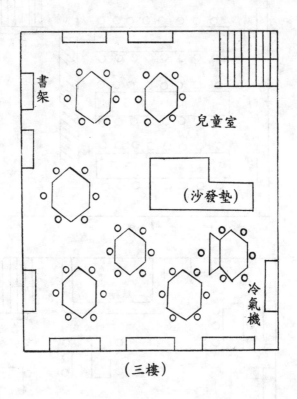

（三樓）

圖 4-25 雲林縣東勢鎮立圖書館平面配置圖(續)

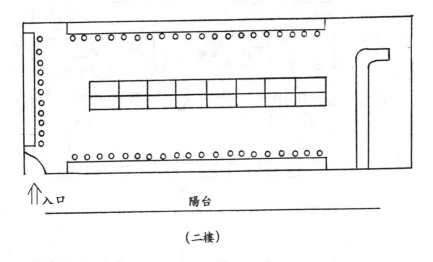

（二樓）

圖 4-26　雲林縣林內鄉立圖書館平面配置圖

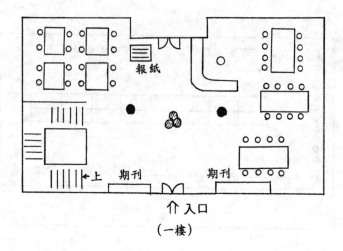

（一樓）

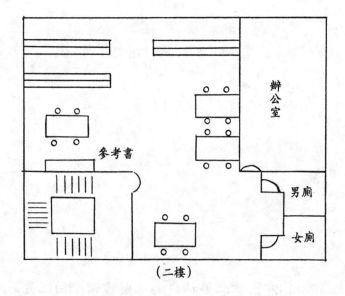

（二樓）

圖 4-27 雲林縣四湖鄉立圖書館平面配置圖

二十八、　嘉義縣朴子鎮立金臻圖書館 (圖4-28)

啓 用 年：民國57年

規　　　模：二層，建築面積112坪(370平方公尺)

服務人口：5萬人

館員人數：3人

館 藏 量：30,000冊

閱覽席位：140席

空間配置：一樓爲期刊室、兒童室，二樓爲閉架式書庫、自
　　　　　修室。

　　　　　館舍空間已不敷使用，尤其是閉架式書庫空間
　　　　　狹小，以致部分圖書只好另置於鐵櫃，放在自
　　　　　修室中，平時上鎖，讀者欲借閱時才用。

　　　　　兒童室的位置較不理想，因兒童讀者須先經過
　　　　　期刊室再進入兒童室。

二十九、　嘉義縣太保鄉立圖書館 (圖4-29)

啓 用 年：民國78年9月

規　　　模：二層，建築面積140坪(462平方公尺)

服務人口：2萬7千人

館員人數：2人

館 藏 量：7,000冊

閱覽席位：85席

空間配置：一樓爲期刊室、兒童閱覽室，二樓爲書庫與參考

書室。整體而言，頗符合基本配置原則，可惜未規劃視聽室。

三十、 嘉義縣民雄鄉立登元圖書館（圖4-30）

啓 用 年：民國66年

規　　模：二層，建築面積107坪（354平方公尺）

服務人口：5萬9千人

館員人數：2人

館 藏 量：20,600冊

閱覽席位：82席

空間配置：一樓爲自修室、閱報室、期刊室（置贈閱期刊），二樓爲期刊室（置訂閱期刊）、書庫、參考室。將自修室配置於一樓，佔用館舍主要空間，而二樓書庫反而顯得擁擠。參考室過於隱密，其內有一套會客用桌椅並儼然成爲圖書資料整理室，顯然未發揮實質功能。

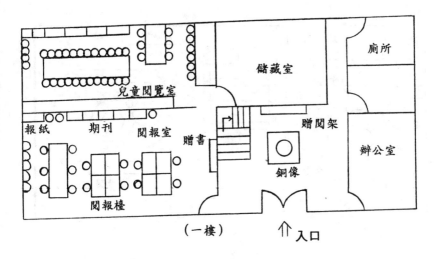

（一樓）

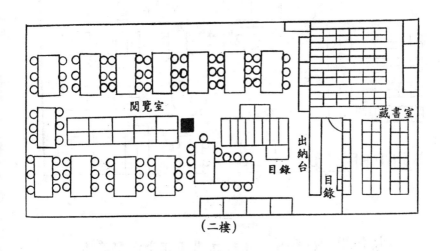

（二樓）

圖 4-28　嘉義縣朴子鎮立金臻圖書館平面配置圖

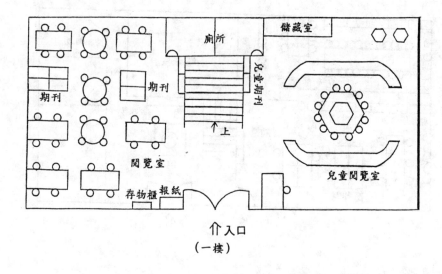

（一樓）

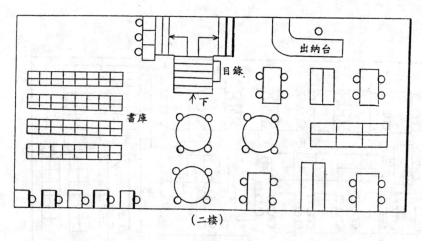

（二樓）

圖 4-29　嘉義縣太保鄉立圖書館平面配置圖

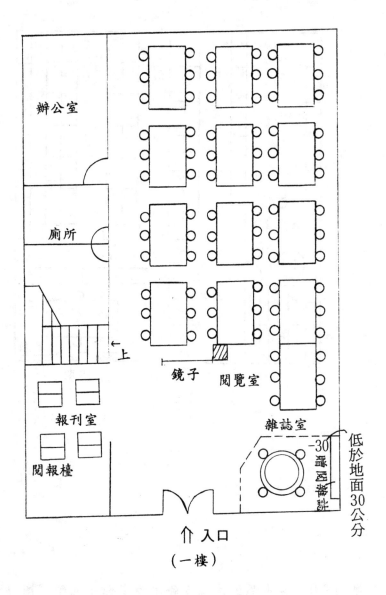

辦公室

廁所

↑上

報刊室

閱報櫃

鏡子　閱覽室

雜誌室

過期雜誌

低於地面30公分

↑↑入口

（一樓）

圖 4-30　嘉義縣民雄鄉立登元圖書館平面配置圖

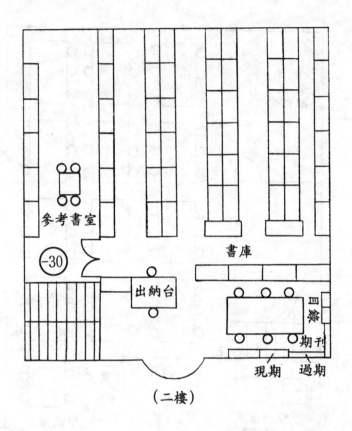

（二樓）

圖 4-30　嘉義縣民雄鄉立登元圖書館平面配置圖(續)

三十一、 台南縣麻豆鎮立圖書館 （圖4-31）

啓　用　年：民國78年10月

規　　　模：一層(4樓)，建築面積60坪(198平方公尺)

服務人口：4萬6千人

館員人數：2人

館　藏　量：10,300冊

閱覽席位：94席

空間配置：圖書館設於文化大樓四樓，一樓爲社會福利中心
　　　　　(含MTV室、音樂室、電腦室)，二樓爲民眾服務分
　　　　　社，三樓爲代表會。

　　　　　圖書館所設樓層太高，對讀者(尤其兒童)頗爲不
　　　　　便，而且當三樓代表會開會時，想必會影響圖書
　　　　　館安靜氣氛。

　　　　　該館除兒童室爲固定隔間外，其餘以盆景區隔爲
　　　　　期刊室、書庫、自修室。整體空間配置尙可，惟
　　　　　書庫無閱覽席位之配置，兒童室桌椅規格明顯太
　　　　　小，不適合小學中、高年級學生使用。

三十二、 台南縣佳里鎮立圖書館 （圖4-32）

啓　用　年：民國78年8月

規　　　模：二層，建築面積202坪(667平方公尺)

服務人口：5萬5千人

館員人數：2人

館　藏　量：7,000冊

閱覽席位：102席

空間配置：一樓爲期刊室、書庫、兒童閱覽室，二樓爲自修
　　　　　室。各區室之配置頗符合一般原則，書庫、期刊
　　　　　室未採固定隔間，將來可視需要彈性規劃運用，
　　　　　另兒童室另闢一間，可避免造成對成人閱讀之干
　　　　　擾，須置一專人負責照顧兒童活動。惟未規劃參
　　　　　考區與視聽室，乃美中不足之處。

三十三、　台南縣東山鄉立圖書館　(圖4-33)

啓　用　年：民國78年12月

規　　　模：一層(2樓)，建築面積171坪(564.3平方公尺)

服務人口：3萬人

館員人數：1人

館　藏　量：13,000冊

閱覽席位：100席

空間配置：圖書館設於鄉公所旁建築，地下一樓爲老人休閒
　　　　　中心，一樓爲活動中心，二樓爲圖書館。館舍空
　　　　　間分爲書庫、參考區、期刊區、兒童區、自修區
　　　　　、視聽室、研究室。期刊區、參考區、自修區與
　　　　　兒童區共用一室，以書架區隔兒童區，使整個閱
　　　　　覽空間顯得寬敞怡人。然而書庫與參考區之配置
　　　　　有欠妥當，一則參考書離服務台太遠，二則書庫
　　　　　在一個別房間內，空間既小，亦無閱覽桌椅，且

與目錄各據館舍一端，相隔較遠。又自修區未另
隔一室，恐將來利用者眾，席位卻多為自修者佔
用，管理上亦有所不便。規劃中之視聽室彷彿被
隔絕於閱覽室之外，對館員提供相關服務頗為不
便。研究室之設置則為鄉鎮圖書館中所僅見，是
否能發揮適切功能尚待觀察。

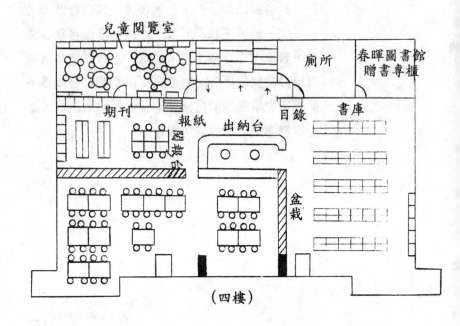

兒童閱覽室

廁所

春暉圖書館
贈書專櫃

期刊

報紙

閱報台

出納台

目錄

書庫

盆栽

（四樓）

入口

（一樓）

圖 4-31 台南縣麻豆鎮立圖書館平面配置圖

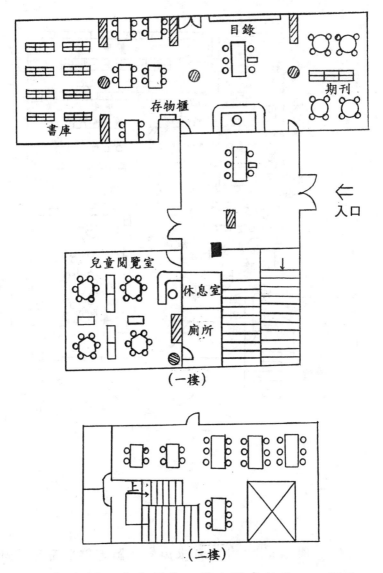

圖 4-32 台南縣佳里鎮立圖書館平面配置圖

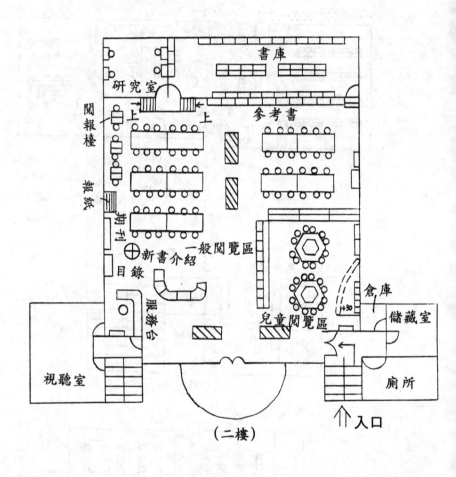

圖 4-33 台南縣東山鄉立圖書館平面配置圖

三十四、　高雄縣旗山鎮立圖書館 （圖4-34）

啓 用 年：民國71年8月

規　　　模：一層，建築面積100坪（330平方公尺）

服務人口：4萬8千人

館員人數：3人

館 藏 量：14,100冊

閱覽席位：120席

空間配置：圖書館緊鄰公所後方，館舍只分爲書庫與自修室
　　　　　二部分，期刊置於自修室一隅。書庫原爲閉架設
　　　　　計，故未設閱覽桌椅；自修室使用率高，儼然成
　　　　　爲主要服務空間。其他服務空間皆無規劃。

三十五、　高雄縣甲仙鄉立圖書館 （圖4-35）

啓 用 年：民國78年5月

規　　　模：四層(含地下一樓)，建築面積215坪 （711平方公
　　　　　尺）

服務人口：一萬人

館員人數：2人

館 藏 量：15,000冊

閱覽席位：196席

空間配置：圖書館與公所毗鄰，地下一樓爲書庫，一樓爲辦
　　　　　公室、出納台、兒童閱覽室，二樓爲期刊室、自
　　　　　修室，三樓爲視聽室、展覽室。公所內有會議室
　　　　　與演講廳。

除參考室外，各區室配置齊全，設備完善，動
線規劃亦佳。惟書庫設於地下室，採光不佳，
亦未配置閱覽席位。

三十六、 高雄縣杉林鄉立圖書館 （圖4-36）

啓 用 年：民國77年12月

規　　模：一層(3樓)，建築面積148坪(488平方公尺)

服務人口：1萬5千人

館 藏 量：10,200冊

閱覽席位：60席

空間配置：圖書館設於鄉公所三樓，有書庫、期刊室（第二
　　　　　閱覽室）、自修室(第一閱覽室)及研習活動室。
　　　　　計劃將辦公室規劃爲視聽室。
　　　　　空間寬敞卻未善加規劃利用，書庫與自修室之固
　　　　　定隔間限制了空間的運用，且二者之位置離樓梯
　　　　　較遠，並皆須穿越整個研習活動室，乃動線規劃
　　　　　不當之處。

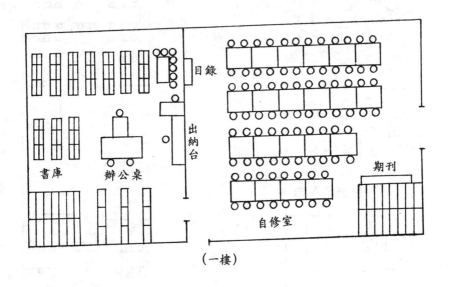

（一樓）

圖 4-34　高雄縣旗山鎮立圖書館平面配置圖

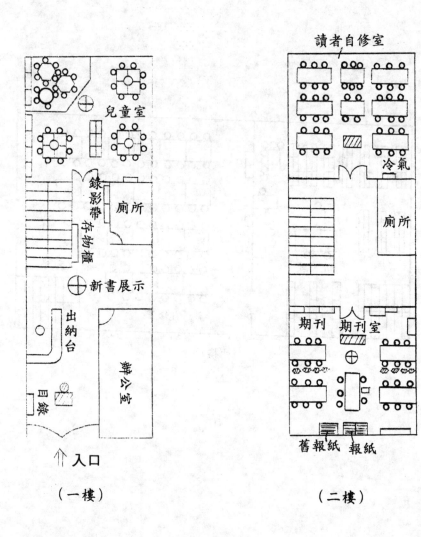

圖 4-35 高雄縣甲仙鄉立圖書館平面配置圖

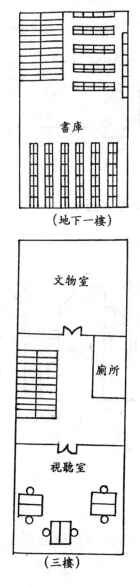

（地下一樓）

（三樓）

圖 4-35　高雄縣甲仙鄉立圖書館平面配置圖（續）

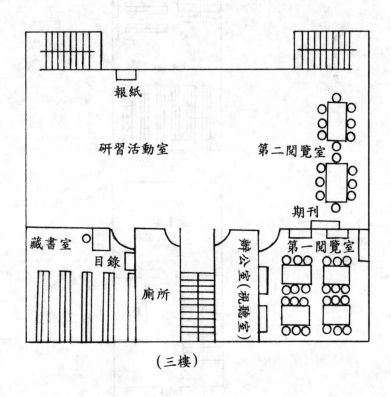

(三樓)

圖 4-36　高雄縣杉林鄉立圖書館平面配置圖

三十七、　屏東縣萬巒鄉立中正圖書館（圖4-37）

　　啓　用　年：民國74年

　　規　　　模：一層（2樓），建築面積234坪（773平方公尺）

　　服務人口：2萬6千人

　　館員人數：2人

　　館　藏　量：16,000冊

　　閱覽席位：112席

　　空間配置：圖書館位於鄉公所旁之社區活動中心，地下一樓
　　　　　　　爲調解委員會，一樓爲村辦公室，二樓是圖書館
　　　　　　　所在。辦公室與規劃中之視聽室爲固定隔間，開
　　　　　　　架閱覽室則兼顧自修、閱報、期刊閱覽、兒童及
　　　　　　　參考等功能，以書架略做區隔，空間尙能充分利
　　　　　　　用，但已呈飽和。書架沿牆配置或做爲隔間使用
　　　　　　　，使閱覽空間顯得寬敞，然而書架不能集中，書
　　　　　　　籍排列不易也是相對的缺點。
　　　　　　　室內的柱子與樓梯間對空間安排有所限制。

三十八、　屏東縣竹田鄉立圖書館（圖4-38）

　　啓　用　年：民國76年2月

　　規　　　模：二層，建築面積360坪（1,188平方公尺）

　　服務人口：1萬9千人

　　館員人數：1人

　　館　藏　量：10,000冊

閱覽席位：24席

空間配置：館舍與民眾服務分社合用，一樓爲期刊報紙與開
架閱覽共用一室，並有一館員休息室，二樓爲活
動中心，遇考季可充當自修室使用，另有一間闢
爲視聽室。

書架不符標準，且已滿架，牆邊最適宜配置閱覽
席位，但都排滿了書架。

室內柱子限制了空間運用，若將來館舍收回自用
，可重新規劃安排。目前無兒童室，視聽室離館
員較遠。

三十九、 屏東縣里港鄉立圖書館（圖4-38）

啓 用 年：民國72年5月

規　　模：一層，建築面積105坪(318平方公尺)

服務人口：2萬6千人

館員人數：3人

館 藏 量：15,300冊

閱覽席位：40席

空間配置：圖書館設於文教中心，與老人會合用，只有期刊
室與書庫。館舍設備簡陋，顯見未用心經營。書
庫空間寬敞，便於未來擴充，而閱覽席位之配置
較不理想。

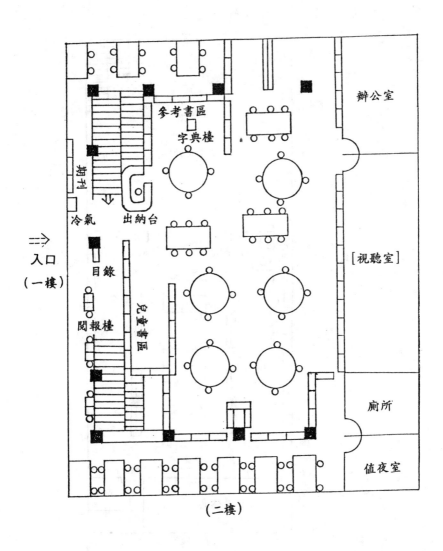

圖 4-37　屏東縣萬巒鄉立中正圖書館平面配置圖

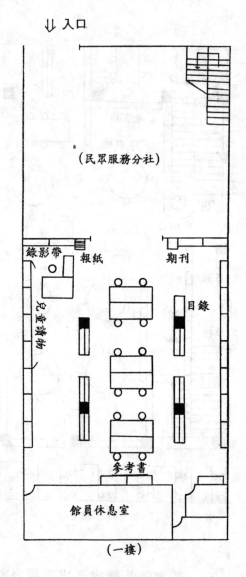

圖 4-38　屏東縣竹田鄉立圖書館平面配置圖

（二樓）

圖 4-38　屏東縣竹田鄉立圖書館平面配置圖(續)

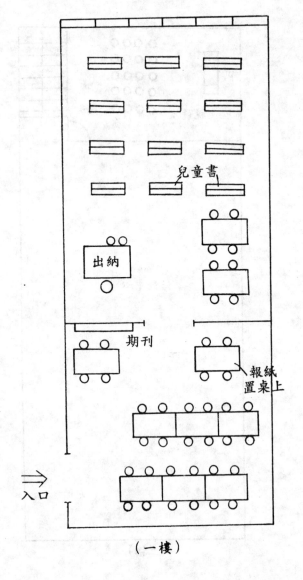

圖 4-39　屏東縣里港鄉立圖書館平面配置圖

四十、 台東縣鹿野鄉立圖書館 (圖4-40)

啓 用 年：民國78年9月

規　　　模：三層(含地下一樓)，建築面積214.6坪(708.26平
方公尺)

服務人口：1萬2千人

館員人數：1人

館 藏 量：6,000冊

閱覽席位：180席

空間配置：圖書館設於鹿野國小內，爲二層獨立建築，一
樓爲期刊室、兒童閱覽室，二樓爲書庫。以僅
有一位館員來說，如此之空間配置尚屬適當。
書庫之空間寬敞，可供將來擴充使用，但因位
於二樓，無館員可指導利用館藏，且無參考區
之設置，服務品質不免受到影響。書庫內之配
置略顯呆板，且書架皆靠窗擺置，日後圖書恐
因受日照而受損。

四十一、 台東縣池上鄉立圖書館 (圖4-41)

啓 用 年：民國79年2月

規　　　模：三層(含地下一樓)，建築面積273坪（901平方公
尺）

服務人口：1萬2千人

館員人數：2人

館　藏　量：10,500冊

閱覽席位：160席

空間配置：一樓為期刊室、閱報室、開架閱覽室、參考室及
　　　　　兒童室、採編室，二樓為自修室，另地下室(40
　　　　　坪)擬規劃為視聽室。

　　　　　館舍空間寬敞明亮，區室配置符合一般原則，尤
　　　　　以開架閱覽室、參考室、兒童室三者與出納台之
　　　　　空間關係最為理想，但宜注意兒童活動對參考室
　　　　　可能形成的干擾。

　　　　　有些規劃亦不無值得商榷之處，如採編室，恰於
　　　　　閱覽區之內，館員往來勢須經過閱覽區；視聽室
　　　　　設於地下室，若只能經由採編室內之樓梯到達，
　　　　　則相當不妥；閱報室放於入口檢查之外乃理想設
　　　　　計，但期刊室置訂閱期刊，非館員視線可及，可
　　　　　能會有管理上的問題；贈閱期刊置於二樓自修室
　　　　　門外，那麼該處之出納台設計是否為多餘？

四十二、 台東縣長濱鄉立中正圖書館 (圖4-42)

啓　用　年：民國66年10月

規　　　模：一層，建築面積40坪(132平方公尺)

服務人口：6千人

館員人數：1人

館　藏　量：18,000冊

閱覽席位：41席

空間配置：館舍分爲期刊閱報區、開架閱覽區及兒童室，另
　　　　　有二固定隔間，一爲書庫(置老舊圖書)，一爲倉
　　　　　庫(目前不用)。
　　　　　館舍空間不大，但基本條件不錯，倘能善加規劃
　　　　　利用，配置可更爲理想。

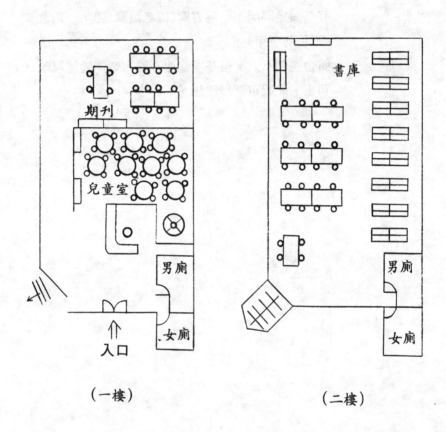

圖 4-40 台東縣鹿野鄉立圖書館平面配置圖

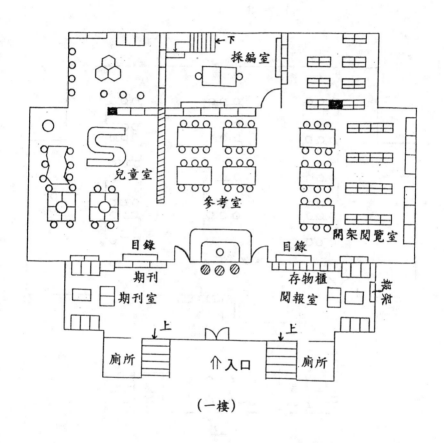

（一樓）

圖 4-41 台東縣池上鄉立圖書館平面配置圖

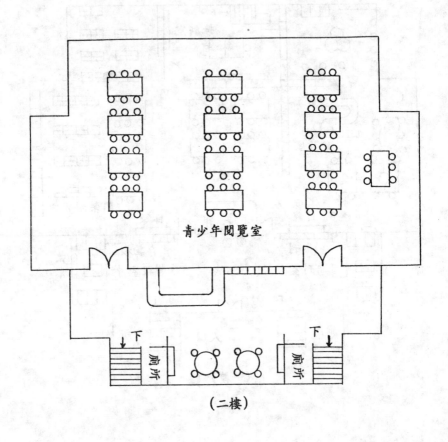

圖 4-41 台東縣池上鄉立圖書館平面配置圖(續)

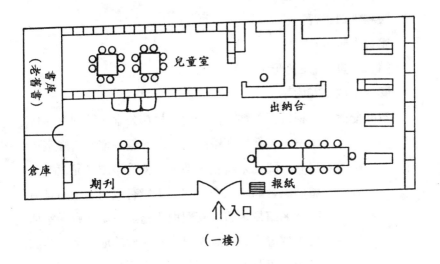

（一樓）

圖 4-42　台東縣長濱鄉立中正圖書館平面配置圖

四十三、 花蓮縣豐濱鄉立圖書館 (圖4-43)

啓 用 年：民國79年

規　　模：三層(含地下一樓)，建築面積201.72坪（665.68平方公尺）

服務人口：7萬人

館員人數：1人

館 藏 量：4,500冊

閱覽席位：70席

空間配置：一樓爲交誼廳、出納台、村辦公室、期刊室、會議室，二樓爲有聲視聽中心、電腦室、自修室，另有一間尙未規劃，地下一樓爲書庫、兒童室。整個館舍隔間太多，空間不能有效利用，而且只有一名館員，造成管理與服務之不便。會議室佔用主樓層，而書庫與兒童室配置於地下室，非館員視線可及，且書庫狹小又無閱覽座位，都是不理想的設計。

視聽室與電腦室盼能眞正發揮作用，以造福鄉民。

四十四、 花蓮縣光復鄉立中正圖書館 (圖4-44)

啓 用 年：民國67年5月

規　　模：二層(含地下一樓)，建築面積110坪（363平方公尺）

服務人口：1萬9千人

館員人數：2人

館　藏　量：30,000冊

閱覽席位：40席

空間配置：館舍陳舊，無發展空間。部分老舊圖書置於地下
室存放，其餘則供開架閱覽。參考書置於玻璃櫃
中，恰將館舍空間直分爲二。入口處無緩衝區，
亦未規劃期刊區，整個空間顯得十分擁擠。

四十五、　花蓮縣吉安鄉立圖書館（圖4-45）

啓　用　年：民國78年10月

規　　　模：三層(含地下一樓)，建築面積200坪（660平方公
尺）

服務人口：6萬人

館員人數：2人

館　藏　量：8,000冊

閱覽席位：120席

空間配置：地下一樓爲兒童室，一樓爲期刊室、書庫，二樓
爲自修室。

無固定隔間，館舍空間感極佳，各區室配置亦符
合原則，惟參考書置於出納台內，採閉架管理，
實爲不當設計，另視聽館藏與設備在期刊室內亦
非常不妥，宜另闢專室提供視聽服務。

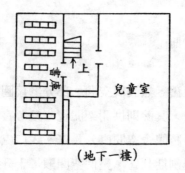

（地下一樓）

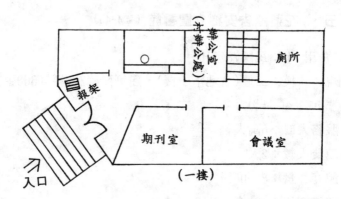

（一樓）

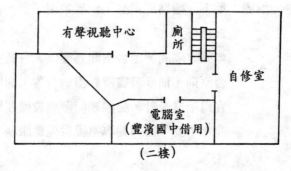

（二樓）

圖 4-43　花蓮縣豐濱鄉立圖書館平面配置圖

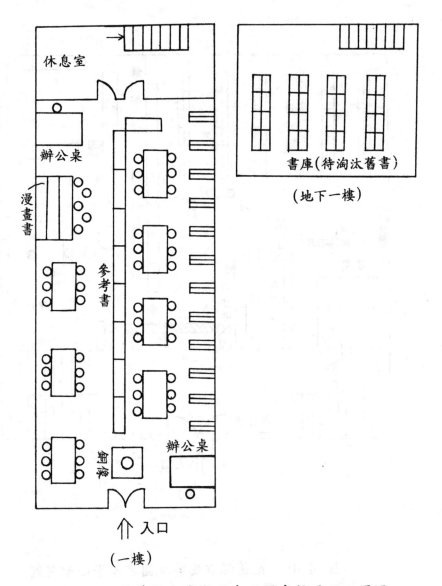

圖 4-44　花蓮縣光復鄉立中正圖書館平面配置圖

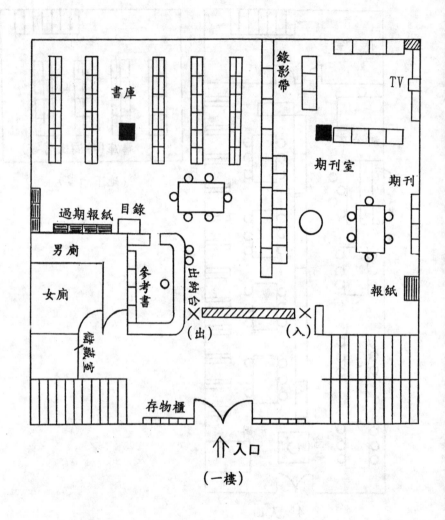

圖 4-45　花蓮縣吉安鄉立圖書館平面配置圖

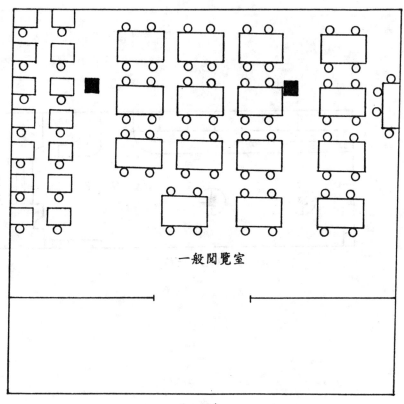

（二樓）

圖 4-45　花蓮縣吉安鄉立圖書館平面配置圖（續）

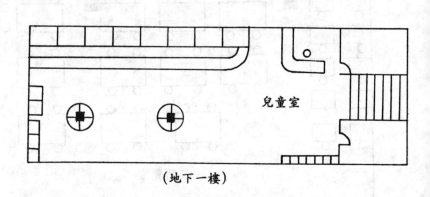

兒童室

(地下一樓)

圖 4-45 花蓮縣吉安鄉立圖書館平面配置圖(續)

第三節　鄉鎮圖書館內部空間配置綜合討論

一、　基本資料

1. 受訪45所鄉鎮圖書館中，於民國75年之後所建新館有25所；舊館有20所。

2. 45館中，使用獨立館舍者有25所，與其他單位合用者有20所。

3. 45館之使用樓層樓分別爲：一層樓16所；二層樓15所；三層樓8所；四層樓5所；五層樓1所。以一層與二層爲最多。

4. 館舍建坪在200坪以上者有23所，不到200坪者有22所。規模最大者爲台中縣大甲鎮立圖書館達513坪（1,693平方公尺），最小者爲雲林縣林內鄉立圖書館，僅33坪（110平方公尺）。

二、　館舍區室設置情形

　　受訪的45所鄉鎮圖書館，其館舍區室設置情形如下（參見表4-3）：

1. 設有獨立的期刊室(區)者有29所，佔64.4%。雖然幾乎每一館都提供期刊報紙供讀者閱覽，但有不少圖書館將之與自修室合併，未加任何區隔，致期刊閱覽機能空間受到干擾。

2. 設有獨立的兒童室(區)者有 27所，佔60.0%。鄉鎮圖書館的兒童服務漸受重視，尤其新建館舍設置兒童室(區)的情

表 4-3 受訪45個鄉鎮圖書館區室設置一覽表

鄉鎮名稱 ＼ 區室名稱	期刊閱報室	兒童室	參考室	書庫 開架	書庫 半開架	書庫 閉架	視聽室	自修室	會議室(演講廳)	展覽室	地方文物室	其他
宜蘭縣蘇澳鎮					V			V				
宜蘭縣羅東鎮	V	V		V			V	V				
宜蘭縣南澳鄉	V			V							V	
台北縣新莊市	V				V			V				
台北縣泰山鄉			V				V	V				
台北縣林口鄉		V						V				
桃園縣桃園市	V				V			V				
桃園縣龜山鄉	V				V			V				
桃園縣平鎮鄉	V				V			V				
新竹縣北埔鄉	V	V			V		△	V	V			
新竹縣湖口鄉	V	V		V			△	V		V		
新竹縣新豐鄉	V	V			V							
苗栗縣苑裡鎮	V	V		V				V	V	V		
苗栗縣竹南鎮		V			V			V			*	*資料室
苗栗縣公館鄉					V							
台中縣大甲鎮	V	V	V	V			V	V	V		V	長青休閒中心
台中縣后里鄉					V							
台中縣烏日鄉	V		V									
南投縣草屯鎮	V	V	V				V	V				
南投縣中寮鄉	V	V	V									
南投縣名間鄉	V	V	V	V						V		
彰化縣鹿港鎮	V	V	V				△	V	V			
彰化縣北斗鎮	V	V	V					V				
彰化縣大城鄉			V				△					

表 4-3　受訪45個鄉鎮圖書館區室設置一覽表(續)

鄉鎮名稱＼區室名稱	期刊閱報室	兒童室	參考室	開架	半開架	閉架	視聽室	自修室	會議室(演講廳)	展覽室	地方文物室	其他
雲林縣東勢鎮		✓		✓				✓				
雲林縣林內鄉				✓								
雲林縣四湖鄉	✓			✓								
嘉義縣朴子鎮	✓	✓		✓			✓					
嘉義縣太保鄉	✓	✓	✓	✓								
嘉義縣民雄鄉	✓	✓		✓								
台南縣麻豆鎮	✓	✓		✓								
台南縣佳里鎮	✓	✓		✓								
台南縣東山鄉		✓		✓				✓				研究室
高雄縣旗山鎮				✓								
高雄縣甲仙鄉	✓	✓		✓				✓		✓		
高雄縣杉林鄉	✓			✓				△				研習活動室
屏東縣萬巒鄉		✓		✓				△				
屏東縣竹田鄉				✓								活動中心
屏東縣里港鄉				✓								
台東縣鹿野鄉		✓		✓								
台東縣池上鄉		✓		✓				△				
台東縣長濱鄉		✓		✓								
花蓮縣豐濱鄉	✓	✓		✓			✓	✓		✓		電腦室
花蓮縣光復鄉				✓								
花蓮縣吉安鄉	✓	✓		✓			△	✓				
合　　計	29	27	9	35	6	4	15	35	6	5	3	

註："△"表規劃中。

形非常普遍，在25所新館中，除了泰山、大城、杉林、四
湖、竹田等五個鄉鎮圖書館未設置兒童室(區)外，餘皆有
設立。

3. 設有參考室(區)者有9所，佔20.0%。其中尚且多是以二、
   三座書架區隔成一參考書區，可見參考服務的理念仍須多
   加強推廣。

4. 書庫乃各鄉鎮圖書館經營的重心，其中採開架式經營者有
   35所，佔77.8%，另6所採半開架式，4 所為閉架式。

5. 已設置視聽室者僅7所，佔15.6%，另有8 所正規劃中。鄉
   鎮圖書館多未提供視聽服務，然在省政府教育廳購贈視聽
   設備之後，已逐漸引起重視。不過，因空間或人手不足，
   將視聽設備收藏起來，未提供任何相關服務，則也是訪視
   過程中所見平常之事。

6. 自修室設置頗為普遍，有 35所，佔77.8%。鄉鎮圖書館之
   各區室名稱互異，尤以自修室為甚，其名稱除了自修室，
   尚有自習室、閱覽室、普通閱覽室，一般閱覽室、青少年
   閱覽室、青少年自修室等等。

7. 設置會議室與展覽室的圖書館不多，有會議室者6 所，展
   覽室5所。另外，僅有3 所設置地方文物室。

三、　空間配置共同問題

1. 大致而言，新館規模較大，設備較新且符合標準規格，而
   舊館規模較小，設備較陳舊，其中不乏以鐵櫃當書架用者
   。若干新館在空間與設備規劃上較合宜者，多為圖書館設

備用品公司所代爲規劃設計，如臺北縣林口鄉、南投縣名間鄉、嘉義縣太保鄉、台南縣佳里鎮及台東縣池上鄉等圖書館皆是。而有些新館在空間規劃上的最大的遺憾就是隔間太多，致空間發展受限，且人力不足，造成管理與服務之不便，如新竹縣北埔鄉立圖書館、花蓮縣豐濱鄉立圖書館等是。

2. 書庫的配置理想與否，對圖書館的經營成效有決定性的影響。4 所閉架式管理者皆爲舊館，而新館中除了新竹縣北埔鄉、新豐鄉兩圖書館採半開架式經營外，餘皆爲開架式。但絕大多數的開架書庫都未配置閱覽桌椅，且多未考慮到數年後館藏成長的空間需求。比較符合理想設計的開架閱覽室只有台北縣泰山鄉、林口鄉、南投縣名間鄉、嘉義縣太保鄉、台南縣佳里鎮、台東縣池上鄉及花蓮縣吉安鄉等鄉鎮圖書館。

3. 自修室的配置是比較具爭議性的，因其直接關係到其他服務空間的大小。有些圖書館將全館一半以上甚至三分之二的空間都當自修室，這在空間利用上不無浪費之嫌。甚者將主樓層(一樓)規劃爲自修室，殊爲可惜。如蘇澳鎮、泰山鄉、桃園市、平鎮鄉、竹南鎮、公館鄉、烏日鄉、草屯鎮、東勢鎮、民雄鄉、旗山鎮等鄉鎮圖書館都是自修室規劃不善的例子。

4. 大部分的鄉鎮圖書館在當初規劃時皆未設置視聽室，故多爲後來所增闢，其空間原非爲視聽服務功能設計。視聽服務空間有其特定的空間需求(見第四章第三節)，而就訪視

　　　所見，僅高雄縣甲仙鄉立圖書館提供個人閱聽卡座，其餘
　　　都只是一套視聽設備外加幾張座椅而已。

5. 參考服務之功能不彰，可由參考室設置之少而得見，若以
　　有個別的書架與閱覽桌椅來看，眞正堪稱爲參考室者僅有
　　南投縣名間鄉、彰化縣鹿港鎮、北斗鎮、嘉義縣太保鄉，
　　及台東縣池上鄉等五所鄉鎮圖書館。

6. 兒童室之配置大抵符合一般原則，設於主樓層或其上下一
　　樓，除非館舍與其他單位合用，只能設於三、四樓。惟雲
　　林縣東勢鎮立圖書館，既爲獨立館舍，卻將兒童室設於最
　　高樓，屬最不當之設計。

註　　釋

① 臺灣省政府教育廳，臺灣省加強文化建設重要措施執行情形報告(臺中:
該廳，民77年)，頁2。

② 臺灣省立臺中圖書館編，臺灣省各鄉鎮縣轄市立圖書館概況(臺中:編者
，民74年)，頁4。

③ 臺灣省政府函，「臺灣省加強文化建設第二期重要措施」，中華民國七
十七年十一月二十一日七七府教五字第160099號，省府公報77年冬字第
45期。

④ 臺灣省政府教育廳，臺灣省鄉鎮縣轄市立圖書館現況與展望(臺中:該廳
，民79年)，頁3。

⑤ 同前註，頁2-3。

⑥ 同前註，頁4。

⑦ 賴文權，「臺灣省鄉鎮圖書館建設現況」，社教雙月刊　38期(民79年8
月)，頁16。

⑧ 林慶弧，「我國臺灣地區鄉鎮圖書館的發展沿革、現況與經營模式之研
究」(國立臺灣大學圖書館學研究所，碩士論文，民79年6月)，頁119。

⑨ 同④，頁4。

⑩ 同前註。

第五章 結論與建議

第一節 結 論

一、 鄉鎮圖書館發展現況

在臺灣省政府大力推動基層文化建設的努力下，鄉鎮圖書館如雨後春筍般一一落成啓用，使我國的公共圖書館總數在短短幾年間急遽成長，誠令人感到欣慰。全省 309個鄉鎮市已自民國74年元月的 103所鄉鎮圖書館增加至79年 6月的 207所鄉鎮圖書館，其餘尚陸續興建中，而省縣轄市亦開始籌設圖書分館，使得文化資源得以更爲普及。

二、 鄉鎮圖書館主要業務機能

這麼多新設立或即將興建的圖書館，必須要能發揮功能，才能算是眞正落實文化建設。圖書館館舍空間配置理想與否，對其經營成效有決定性的影響。各館在興建之前，應先了解圖書館的功能與任務，再進行規劃設計。因此，本論文首先對鄉鎮圖書館的主要業務機能作一概述，其目如下：

1. 技術服務

(1)圖書資料徵集；(2)圖書分類編目。

2. 讀者服務

(1)圖書典藏；(2)館內閱覽；(3)圖書出納；(4)參考服務；
(5)期刊服務；(6)兒童服務；(7)視聽服務；(8)推廣服務。

3. 行政管理

三、 鄉鎮圖書館內部空間需求與規劃原則

　　欲規劃圖書館，須先瞭解其設計原則。鄉鎮圖書館內部空間設計應掌握彈性運用空間、動線規劃流暢、無障礙設計及適應未來發展等原則。於規劃動線時，應圖示各部門的空間關係，然後就各區室配置原則及其空間需求進行細部討論，始完成建築之準備工作。

　　一所理想的鄉鎮圖書館應配置出納台、卡片目錄區、閱報室、期刊室、參考室、開架閱覽室、兒童室、視聽室、自修室、地方文物室、會議室(演講廳)、展覽室以及辦公室等。各區室之空間面積需求應參考相關標準。

四、 鄉鎮圖書館內部空間配置現況

　　為瞭解目前鄉鎮圖書館內部空間配置現況，特實地走訪45所鄉鎮圖書館。訪視結果如下：

（一）基本資料

1. 新館25所，舊館20所。
2. 使用獨立館舍者25所，與其他單位合用者20所。
3. 使用樓層數以一層與二層為最多。
4. 館舍建坪在200坪以上者23所，不到200坪者22所。

（二）館舍區室設置情形

1. 設有獨立的期刊室(區)者有29所，佔64.4% 。

2. 設有獨立的兒童室(區)者有27所，佔60.0% 。

3. 設有參考室(區)者有9 所，佔20.0% 。

4. 書庫採開架式經營者有35所，佔77.8%，另6所採半開架式，4 所為閉架式。

5. 已設置視聽室者僅7所，佔15.6%，另有8 所正規劃中。

6. 自修室設置頗為普遍，有35所，佔77.8% 。

7. 設置會議室與展覽室的圖書館不多，有會議室者6所，展覽室5所。另外，僅有3 所設置地方文物室。

(三) 空間配置共同問題

1. 大致而言，新館規模較大，設備較新且符合標準規格，而舊館規模較小，設備較陳舊。若干新館在空間與設備規劃上較合宜者，多為圖書館設備用品公司所代為規劃設計。有些新館在空間規劃上之最大遺憾為隔間太多，致空間發展受限，且人力不足，造成管理與服務之不便。

2. 書庫的配置理想與否，對圖書館的經營成效有決定性的影響。4所閉架式管理者皆為舊館， 新館則多為開架式。但絕大多數的開架書庫都未配置閱覽桌椅，且多未考慮到數年後館藏成長的空間需求。

3. 自修室的配置是比較具爭議性的，因其直接關係到其他服務空間的大小。有些圖書館將全館一半以上甚至三分之二的空間都當自修室，這在空間利用上不無浪費之嫌。甚者將主樓層(一樓)規劃為自修室，殊為可惜。

4. 大部分的鄉鎮圖書館在當初規劃時皆未設置視聽室，故

多為後來所增闢，其空間原非為視聽服務功能設計。

5. 參考服務之功能不彰，可由參考室設置之少而得見，若以有個別的書架與閱覽桌椅來看，真正堪稱為參考室者僅有五所鄉鎮圖書館。

6. 兒童室之配置大抵符合一般原則，設於主樓層或其上下一樓，除非館舍與其他單位合用，只能設於三、四樓。

第二節　建　議

一、　鄉鎮圖書館內部空間配置參考型態

　　茲綜合前述鄉鎮圖書館內部空間配置之理論與實例分析，試擬三種鄉鎮圖書館內部空間配置型態，其使用樓層數分別為一、二、三層，外形則以皮爾斯(William S. Pierce)所建議長寬比例 3：2 的長方形，動線較易安排，空間最易使用①，亦符合鄉鎮圖書館普遍為矩形的實際狀況。下述參考型態之基本資料為館舍建坪200坪，服務人口四萬四千人，館員5人，閱覽席位 132席②，其空間配置簡要說明如下：

型態一(圖5-1)：

　　將所有區室配置於同一樓層，閱報室設於入口處右側，其次是出納台兼參考服務功能，台後配置館員工作空間。期刊室、參考室與開架閱覽室構成一開放閱覽空間。入口左側配置多功能活動室、兒童室與自修室。兒童閱覽另闢一室，避免干擾其它閱覽活動。

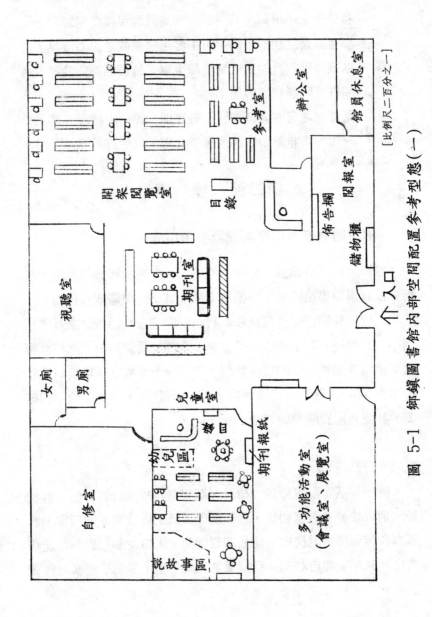

圖 5-1　鄉鎮圖書館內部空間配置參考型態（一）　[比例尺二百分之一]

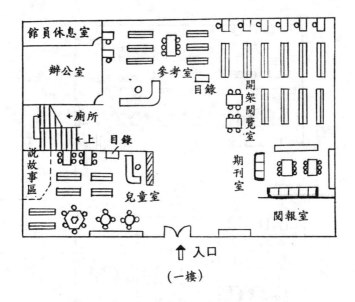

（一樓）

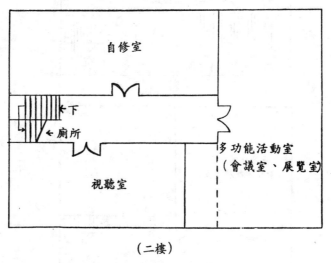

（二樓）

圖 5-2　鄉鎮圖書館內部空間配置參考型態（二）

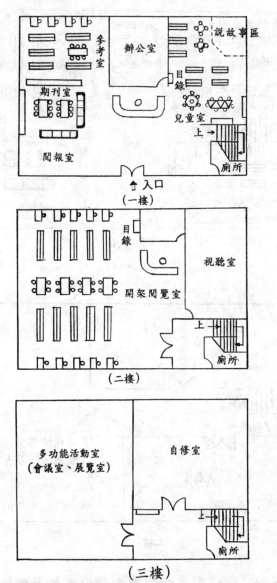

圖 5-3 鄉鎮圖書館內部空間配置參考型態(三)

型態二(圖5-2)：

　　一樓配置閱報室、期刊室、開架閱覽室、參考室、兒童室、辦公室，館員可同時照顧參考、出納、及期刊服務，且鄰近樓梯，以縮短與二樓視聽室之距離，俾便服務讀者。二樓除視聽室外，配置自修室與多功能活動區。

型態三(圖5-3)：

　　一樓配置兒童室、閱報室、期刊室、參考室、辦公室，館員居中照顧全室，將兒童室配置其左，其它服務配置其右。二樓配置開架閱覽室與視聽室，及館員提供出納與視聽服務。自修室設於三樓，以吸引學子們利用館內各項資源，而樓梯間位於角落，以減少上下樓讀者移動可能形成的干擾。

二、　綜合建議事項

　　　以下擬就研究經驗提出若干建議：

1. 任一圖書館於進行規劃設計時，都應考慮每一位讀者及館員的使用習慣，俾能設計出實用的圖書館建築。欲評估一所圖書館內部空間配置良好與否，可以假設自己為一陌生讀者或館員，想像對各種資料之存取、使用頻率及動線等需求因素，實際在館內走一遭，相信很快就可獲得答案。

2. 圖書館建築計劃書的重要性不容忽視。建築計劃書意涵著一個圖書館建築小組，綜合各方意見，館員與建築師不斷溝通，歷經多次討論與修改的成果。此為圖書館建築的依據，是館員、建築師、上級單位、讀者代表等所有參與者

必須花時間與心力慎重爲之的。

3. 傢具與建築設計是一體的兩面，相互爲用，甚至有言：「
   傢具之嚴重影響空間，莫過於圖書館建築」。③此次研究
   訪視過程中，見許多圖書館設備簡陋，不符合一般規格，
   與有標準新穎設備的圖書館大異其趣。故宜對目前所有鄉
   鎮圖書館的傢具設備情形進行研究了解。

4. 基於前述理由，及鄉鎮圖書館個別差異甚大，建議主管單
   位在補助各館代購圖書設備時，應切合各館需要。宜對鄉
   鎮圖書館主要建築設備與利用情形進行全面普查，以作爲
   補助依據。並且，除了補助設備，亦須對人員加以適當訓
   練，以免設備束之高閣或維護不當。

5. 圖書館應繪製詳細的平面配置圖，以便來館讀者對圖書館
   內部空間配置有清楚概念，於利用館內資源時能更加得心
   應手。此次訪視時，只有極少數圖書館備有空間配置圖，
   且多僅爲簡單的平面圖，致筆者須一一繪製以取得研究所
   需資料，爲本研究過程備感辛苦費時之事。

註　　釋

① William S. Pierce, *Furnishing the Library Interior.* (Books in Library and Information Science, v.29.)(New York: Marcel Dekker, 1980), p.9.

② a. 館舍建坪以臺灣省政府教育廳補助坪數200坪為依據。

　　b. 服務人口係計算臺灣省各鄉鎮市平均人口數而得，見內政部編，<u>中華民國臺閩地區人口統計</u>(臺北：編者，民77年)，頁1566-1569。

　　c. 館員人數依公共圖書館標準規定一館員服務一萬人計算。

　　d. 閱覽席位探蓋爾文(H. R. Galvin)與范布倫(M.Van Buren)之建議以每千人4席計算，惟若有自修室，宜另酌增席位。

③ 賀陳詞。「圖書館建築的程式及其他」。<u>國立中央圖書館館刊</u>11卷 2期(民67年12月)，頁12。

參 考 書 目

一 中文部分

I. 專 著

王振鵠。當前文化建設中圖書館的規劃與設置之研究。臺北：國
　　家建設委員會，民70年。

------。圖書館學論叢。臺北：學生書局，民73年。

日本建築學會編；台隆書店建築設計資料集成編譯委員會譯。建
　　築設計資料集成。臺北：台隆書店，民68年。

日本建築學會、日本健康環境體系研究會編；李政隆譯。適應殘
　　障者之環境規劃。臺北：大佳出版社，民75年。

中國視聽教育學會。縣市立文化中心及鄉鎮(市)立圖書館視聽服
　　務規劃專案計畫報告書。臺中：臺灣省政府教育廳，民78年。

中國圖書館學會編。圖書館學參考書目及法規標準。增訂再版。
　　臺北：編者，民75年。

中國圖書館學會公共圖書館標準擬訂小組編。中華民國臺閩地區
　　省(市)縣市鄉鎮圖書館現況調查報告。臺北：編者，民65年。

中國圖書館學會出版委員會編。圖書館學。臺北：學生書局，民
　　69年。

尹玫君。「我國大學圖書館建築與設備之調查研究」。國立政治
　　大學教育研究所，碩士論文，民69年6月。

行政院文化建設委員會編。文化建設重要法令彙編。臺北：編者

，民77年。

汪仙陵。「縣市文化中心圖書館與博物館籌設方式之研究」。文
　　化大學史學研究所，碩士論文，民67年。

沈寶環主編。鄉鎮圖書館的理論與實務。臺北：臺灣書店，民78
　　年。

林勇。圖書館家具設備之研究。臺北：中國工業職業教育學會，
　　民74年。

林慶弧。「我國臺灣地區鄉鎮圖書館的發展沿革、現況與經營模
　　式之研究」。國立臺灣大學圖書館學研究所，碩士論文，民
　　79年6月。

砂川幸雄編；李政隆譯。圖書館建築設計實例集。臺北：大佳出
　　版社，民71年。

胡家源譯；Heintze, Ingeborg著。　小型公共圖書館。臺北：
　　友寧，民64年。

俞芹芳。「中小型公共圖書館建築設計之研究」。國立臺灣大學
　　圖書館學研究所，碩士論文，民72年7月。

張鼎鍾編。圖書館建築趨勢。臺北：三民書局，民79年。

國立中央圖書館編。中華民國圖書館年鑑。臺北：編者，民70年。

------。全國圖書館統計調查報告。臺北：編者，民75年。

------。第二次中華民國圖書館年鑑。臺北：編者，民77年。

------。臺閩地區圖書館調查錄---民國七十四年。臺北：編者，
　　民77年。

------。臺灣地區圖書館事業現況：中華民國圖書館年鑑調查錄。
　　臺北：編者，民69年。

國立中央圖書館臺灣分館編。臺灣省各地區鄉鎮縣轄市圖書館業
　　務研討會記錄彙編。臺北：編者，民75年。

國立臺灣師範大學圖書館編。圖書館規劃與媒體技術：圖書館實
　　務研討會會議記錄。臺北：中國圖書館學會，民69年。

國際圖書館協會聯盟(IFLA)編；劉淑蓉譯。公共圖書館標準。臺
　　北：學生書局，民66年。

新竹縣立圖書館編。臺灣省各級圖書館概況一覽表。新竹：編者
　　，民41年。

雷叔雲等。臺閩地區圖書館現況調查研究。臺北：國立中央圖書
　　館，民71年。

臺中縣大甲鎮立圖書館編。臺灣省七十七年中區五縣市鄉鎮縣轄
　　市圖書館業務發展觀摩會。臺中：編者，民77年。

臺中縣立文化中心編。七十五年度鄉鎮圖書館巡迴輔導專輯。臺
　　中：編者，民76年。

臺灣省立臺中圖書館編。臺灣省各鄉鎮縣轄市立圖書館概況。臺
　　中：編者，民74年。

臺灣省政府研究發展考核委員會主編。臺灣省公共圖書館及其發
　　展。臺中：編者，民66年。

臺灣省政府教育廳。臺灣省加強文化建設重要措施執行情形報告
　　。臺中：該廳，民77年。

臺灣省政府教育廳。臺灣省鄉鎮縣轄市立圖書館現況與展望。臺
　　中：該廳，民79年。

臺灣省政府教育廳。縣市立文化中心及鄉鎮(市)立圖書館視聽服
　　務規劃專案計劃報告書。臺中 ：該廳，民78年。

圖書館：設計＋計劃。臺北：茂榮圖書公司，民67年。

鄭雪玫。兒童圖書館理論/實務。臺北：學生書局，民72年。

------。資訊時代的兒童圖書館。臺北：學生書局，民76年。

謝寶煖。「大學圖書館內部空間配置之研究」。國立臺灣大學圖
　　書館學研究所，碩士論文，民77年7月。

盧秀菊。圖書館規劃之研究。臺北：學生書局，民77年。

盧荷生。圖書館行政。臺北：文史哲，民75年。

藍乾章。圖書館行政。臺北：五南，民71年。

------。圖書館經營法。增訂四版。臺北：著者，民67年。

II. 論 文

王征譯；Galvin, H. R.，Van Buren, M. 合著。「小型公共圖
　　書館之建築」。教育資料科學月刊 8卷(民64年7-12月)，頁
　　18，19-23，24-31，33-35 ；9 卷(民65年1-6月)，頁21-25
　　，17-20，20-25。

王振鵠。「鄉鎮圖書館之發展」。社教雙月刊 38期(民79年8月)
　　，頁36。

王逸如。「圖書館建築計劃原則」。中國圖書館學會會報 39期(
　　民75年12月)，頁9-15。

王俊雄。「臺北市立圖書館規劃設計構想」。臺北市立圖書館館
　　訊6卷 2期(民77年12月)，頁38-43。

王錫璋。「一年來的公共圖書館及文化中心」。國立中央圖書館
　　館訊8卷 4期(民75年2月)，頁396。

中國圖書館學會。「地方圖書館」。<u>中國圖書館學會會報</u> 5期
　　（民44年11月），頁13-14。

中國圖書館學會公共圖書館委員會編。「臺灣地區各級公共圖書
　　館現況資料一覽表」。 <u>中國圖書館學會會報</u>30期(民67年12
　　月)，頁 199-200。

------。「臺灣區公共圖書館調查表」。<u>中國圖書館學會會報</u>31
　　期(民68年12月)，頁137。

朱則剛。「文化中心及鄉鎮(市)立圖書館視聽服務現況與展望」
　　。<u>書香季刊</u> 2期(民78年9月)，頁1-6；3期(民78年12月)，
　　頁1-11。

「各級圖書館之硬體設計與軟體充實」<u>臺灣省各縣市文化中心圖
　　書館行政與實務研討會紀實</u>(民74年12月)，頁15-26。

宋建成。「館舍營造的行政作業」。<u>臺北市立圖書館館訊</u> 6卷2
　　期(民77年12)，頁6-8。

吳正牧。「桃園縣鄉鎮市立圖書館建立與經營」。<u>中國圖書館學
　　會會務通訊</u> 50期(民75年5月)，頁5-7。

吳瑠璃。「鄉鎮圖書館發展之歷史與現況」。<u>社教雙月刊</u> 38期(
　　民79年8月)，頁6-13。

何光國。「小港圖書館----沙漠中的一片綠洲」。中央日報。民
　　72年4月20日，第10版。

------。「如何辦好一人圖書館」。<u>圖書館學刊</u>(輔大) 12期(民
　　72年9月)，頁55-58。

林美英譯 ； Orne Jerrold 原著。「美國圖書館建築的趨勢及
　　其意義」。<u>教育資料科學月刊</u> 13卷 4期(民67年6月)，頁37

-40。

林慶弧。「鄉鎮圖書館的經營模式」。社教雙月刊 38期(民79年
　　8月)，頁19-31。

卓玉聰。「視聽資料室的功能與設計」。視聽資料管理研討會論
　　文集(民75年11月)，頁1-18。

易明克。「圖書館內部規劃與細部設計經驗談」。臺北市立圖書
　　館館訊 6卷 2期(民77年12月)，頁25-32。

俞芹芳。「公共圖書館建築設計淺談」。教育資料與圖書館學21
　　卷 4期(民73年6月)，頁430-440。

------。「公共圖書館建築設計淺談」。 臺北市立圖書館館訊6
　　卷 2期(民77年12月)，頁18-24。

馬少娟。「從我國公共圖書館現況調查與比較探求今後發展之道
　　」。教育資料科學月刊 8卷5、6期(民64年12月)，頁24-28
　　；9卷 1期(民65年1月)，頁26-33 ；9卷 2期(民65年2月)，
　　頁21-26。

馬廣亨。「對鄉鎮市圖書館的發展幾許期望與建議」。臺北市立
　　圖書館館訊 3卷 1期(民74年9月)，頁14-17。

鬼頭梓講。「圖書館建築設計的原則」。 國立中央圖書館館訊7
　　卷 1期(民73年4月)，頁325-329。

鬼頭梓講 ；黃世孟譯。「圖書館建築之特性與需求」。建築師
　　10卷 2期(民73年2月)，頁46-48。

------。「圖書館建築設計的方法」。建築師 10卷 2期(民73年
　　2月)，頁49-53。

陳伯森。「國立中央圖書館的新館設計」。國立中央圖書館館刊

16卷 1期(民71年4月),頁23-29。

張鼎鍾。「圖書館之建築原則」。中央日報。民73年4月22日,
　　第10版。

張錦郎。「談鄉鎮圖書館的功用」。大學雜誌 101期(民65年10
　　月),頁29-35。

國立中央圖書館。「國立中央圖書館遷建計劃」。圖書館學與資
　　訊科學 4卷 1期(民67年4月),頁25-39。

辜瑞蘭。「期刊閱覽室的設計」。耕書集。民74年4月25日,第2
　　版。

賀陳詞。「圖書館建築的程式及其他」。國立中央圖書館館刊11
　　卷 2期(民67年12月),頁9-13。

「發揮鄉鎮圖書館功能,加強基層文化建設」。 社教15期(民75
　　年9月),頁4-9。

喻肇川。「建築師與新圖書館的誕生」。國立中央圖書館館刊11
　　卷 2期(民67年12月),頁14-15。

雷叔雲等。「文化建設聲中為鄉鎮圖書館請命」。幼獅月刊 49
　　卷 5期(民68年5月),頁13-19 ;49卷 6期(民68年6月),頁
　　50-62。

雷叔雲。「臺閩地區圖書館暨資料單位現況調查報告」。國立中
　　央圖書館館刊 14卷 2期(民70年12月),頁20-43。

臺北縣立文化中心圖書館。「臺北縣各鄉鎮市圖書館(室)現況調
　　查與研究」。臺北縣立文化中心季刊 19期(民78年1月),頁
　　6-23。

鄭吉男。「公共圖書館的現況與發展策略」。臺北市立圖書館館

　　訊 5卷 2期(民76年12月)，頁60-71。

鄭雪玫。「公共圖書館之服務」。臺北市立圖書館館訊 1卷 2期
　　(民72年 9月)，頁19-22。

------。「兒童室之設計與佈置」。圖書館學刊(輔大) 10期(民
　　70年11月)，頁36-39。

------。「鄉鎮圖書館的兒童部門」。書香季刊 創刊號(民78年
　　6月)，頁24-31。

鄭鈴慧譯；Pierce, William S.著 。「圖書館設備」。國立中
　　央圖書館館刊 11卷 2期(民67年12月)，頁18-26。

澤本孝久講　；王芳雪譯。「圖書館員對圖書館建築的要求」。
　　國立中央圖書館館訊 6卷 3/4期(民73年1月)，頁299-303。

賴文權。「臺灣省鄉鎮圖書館建設現況」。社教雙月刊 38期(民
　　79年 8月)，頁14-16。

賴月容。「從現階段文化建設談鄉鎮圖書館的經營管理」。書香
　　季刊 3期(民78年12月)，頁29-41。

------。「淺談鄉鎮圖書館問題」。社教雙月刊 38期(民79年8
　　月)，頁16-19。

謝寶媛。「公共圖書館之內部空間配置」。臺北市立圖書館館訊
　　6卷 2期(民77年12月)，頁33-37。

盧荷生。「我所期待的鄉鎮圖書館」。社教雙月刊 38期(民79年
　　8月)，頁33-35。

蕭頻盛。「美國公共圖書館服務標準之沿革(上)(下)」。教育資
　　料與圖書館學 26卷3期(Spring 1989)，頁289-304 ；26卷4
　　期(1989)，頁386-401。

藍乾章。「圖書館的建築與設備的設計規劃」。<u>臺北市立圖書館</u><u>館訊</u> 6卷 2期(民77年12月),頁1-5。

蘇國榮。「國民小學圖書館建築淺談」。<u>教育資料與圖書館學</u>26卷 1期(1988),頁89-99。

二、 英文部分

I. Monographs

American Library Association. ***A Strategy for Public Change: Proposed Public Library Goals--Feasibility Study***. Chicago: ALA,1972.

American Library Association. ***Interim Standard for Small Public Libraries***. Chicago: ALA, 1962.

American Library Association. ***Minimum Standard for Public Library System***. Chicago: ALA, 1967.

Association of Specialized and Cooperative Library Agencies. ***Standards of Service for the Library of Congress Network of Libraries for the Blind and Physically Handicapped***. Chicago: ALA, 1979.

--------. ***Revised Standards and Guidelines of the Library of Congress Network of Libraries for the Blind and Physically Handicapped 1984***. Chicago: ALA, 1984. Baker, Ernest A. The Public Library.

London: Grafton, 1924.

Boaz, Martha, ed. *A Living Library: Planning Public Library Buildings for Cities of 100,000 or Less*. Los Angeles: University of Southern California, 1957.

Brawne, Michael. *Libraries, Architecture and Equipment*. New York: Praeger, 1970.

Cohen, Aaron, and Cohen, Elaine. *Designing & Space Planning for Libraries: A Bahavioral Guide*. N. Y.: Bowker, 1979.

--------. *Automation, Space Management, and Productivity: A Guide for Libraries*. New York: R. R. Bowker, 1981.

Dahlgren, Anders. *Planning the Small Public Library Building*. (Small libraries publication ; no.11) Chicago: Library Administration and Management Association, ALA,1985.

Dahlgren Anders C. *Public Library Space Needs: A Planning Outline* (ED292482).

Daniel, Hawthorne. *Public Libraries for Everyone*. Garden, N. Y.: Doubleday, 1961.

De Chiara, Joseph, and Callender, John Hancock, ed. *Time-Saver Standards for Building Types*. New York: McGraw-Hill, 1973.

De Prospro, Ernest R., and Kenneth E. Beasley. *Performance Measure for Public Libraries*. Chicago: ALA, 1973.

Dennis, D. D. & Others. *Simplifying Work in Small Public Libraries*. Drexel Institute of Technology, 1965.

Draper, James, and Brooks, James. *Interior Design for Libraries*. Chicago: ALA,1979.

Fraley, Ruth A., and Anderson, Carollee. *Library Space Planning: How to Assess, Allocate, and Reorganize Collections, Resources, and Physical Facilities*. New Jersey: Neal Schuman, 1985.

Frantz, J. C. *Small Public Library: Its Establishment, Organization, and Development*. Chicago: ALA, 1963.

Fuhlrott, Rolf, and Dewe, Michael, ed. *Library Interior Layout and Design*. Munich: K. G. Saur, 1982.

Fussler, Herman H., ed. *Library Buildings for Library Service*. Chicago: ALA, 1947.

Galvin, Hoyt R., ed. Planning a Library Building: *The Major Steps*. Chicago: ALA, 1955.

Galvin, Hoyt R., and Van Buren, M. *The Small Public Library Building*. Holland: UNESCO, 1959.

Heintze, I. *Organization of the Small Public Library*.

Paris: UNESCO, 1963.

Holt, Raymond M. *An Architectural Strategy for Change: Remodeling and Expanding for Contemporary Public Library need*. Chicago: ALA, 1976.

--------. *Planned for Service: A Building Program for the Chula Vista Public Library*. Chula Vista, Cal.: The Library,1968.

--------. *The Wisconsin Library Building Project Handbook*. Madi-son, WI: Department of Public Instruction, 1978.

Jackson, Patricia Ann. *Interior Design Factors in Library Facilities*. Denton: Texas Women's University, 1979.

Jefferson, George. *Public Library Administration*. London: Clive Bingley, 1969.

Joseph L. Wheeler & Herbert Goldhor. *Practical Administration of Public Libraries*. N. Y.: Happer & Row, 1962.

Kohl, David F. *Administration, Personnel, Buildings and Equipment: A Handbook for Library Management*. Denver, Colo.: ABC-Clio Information Services, 1985.

Lushington, Nolan,and Mills, Willis N. Jr. *Libraries Designed for Users: A Planning Handbook*. Hamden,

Conn.: Library Professional Publications, 1980.

Mason, Ellsworth. *Mason on Library Buildings*. London: Scarecrow Press, 1980.

McClure, Charles R. et al. *Planning and Role Setting for Public Libraries: A Manual of Options and Procedures*. Chicago: ALA, 1987.

Myller, Rolf. *The Design of the Small Public Library*. New York: R. R. Bowker, 1966.

National Library Service for the Blind and Physically Handicapped. Planning Barrier-free Libraries. Washington: The Library of Congress, 1981.

Needham, William L., and Jahoda, Gerald. *Improving Library Service to Physically disabled persons: A Self-Evaluation Checklist*. Littleton, Colo: Libraries Unlimited, 1983.

Novak, Gloria, ed. *Running out of Space--What Are the Alternatives?* Chicago: ALA, 1978.

Nyren, Karl, ed. *Library Space Planning*. (LJ Special Report #1) New York: R. R. Bowker, 1976.

Orr, J. M., ed. *Designing Library Building for Activity*. London: Andre Deutsch, 1972.

Palmour, Vernon E.; Bellassai, Marcia C.; and Dewath, Nancy V. *A Planning Process for Public Libraries*. Chicago: ALA, 1980.

Pierce, William S. *Furnishing the Library Interior*. Books in Library and Information Science, v.29. New York: Marcel Dekker, 1980.

Plovgaard, Sven, ed. *Public Library Buildings: Standards and Type Plans for Library Premises in Areas with Population of between 5000 and 25000*. London: The Library Association, 1971.

Pollet, Dorothy, and Haskell, Peter C., Comp. *Sign Systems for Libraries: Solving the Wayfinding Problem*. New York: R. R. Bowker, 1979.

Poole, Frazer. *The Library Environment: Aspects of the Interior Planning*. Chicago: ALA, 1965.

Public Libraries for Asia: The Delhi Seminar. Paris: UNESCO, 1956.

Rovelstad, Howard, and Doms, Keith, eds. *Guidelines for Library Planners*. Chicago: ALA, 1960.

Schell, Hal B., ed. *Reader on the Library Building*. Englewood: Microcard Editions Books, 1975.

Schunk, Russell J. *Pointers for Public Library Buildings Planner*. Chicago: ALA, 1945.

Shaw, Robert J., ed. *Libraries: Building for the Future*. Chicago: ALA, 1967.

Sinclair, D. M. *Administration of the Small Public Library*. Chicago: ALA, 1965.

Swartz, Roderick G., and Katz, William A. *Problems in Planning Library Facilities, Consultants, Architects, Plans, and Critiques*. Chicago: ALA,1964.

Thompson, Godfrey. *Planning & Design on Library Buildings*. 2nd ed. London: Architectural Press, 1977.

Trezza, Alphonse F., ed. *Library Buildings: Innovation for Changing Needs*. Chicago: ALA, 1972.

Van House, Nancy A., et al. *Output Measure for Public Libraries: A Manual of Standardized Procedures*. 2nd ed. Chicago: ALA, 1987.

Ward, Herbert, ed. *New Library Buildings*. London: The Library Association, 1974.

Weis, Ina J. *The Design of Library Areas and Buildings*. Moticello, Ill.: Uance Bibliographies, 1981.

Wheeler & Goldhor's Practical Administration of Public Libraries. Completed rev. by Carlton Rochell. New York: Happer & Row, 1981.

Wheeler, Joseph L., and Githens, Alfred M. *The American Public Library Building: Its Planning and Design with Special Reference to Its Administration and Service*. New York: Scribner, 1941.

Wright, J. S. *Manual for Small Public Libraries*. Wellington: National Library of New Zealand, 1970.

II. Articles

"Ames Library Shelving." *Library Technology Reports* 12(July 1976): 365-370.

Baker, A. "Libraries: the Front Line." *Library Association Record* 89 (August 1987): 387.

Beckman, Margaret. "Interaction of Building, Functions and Management." *Canadian Library Journal* 39 (August 1982): 203-205.

Berriman, S. G. "County Library Buildings." *Library Association Record* 71:12 (December 1969): 359-361.

Bush, M. A. "Space: Factors in Planning and Use." *Illinois Libraries* 60 (December 1978): 898-903.

Bushman, Arlan G. "Barrier Free." *American Libraries* 8 (June 1977): 303-304.

Chan, Thye Seng. "Public Library Building for Asia: Some Preliminary Observations." *IFLA Journal* 4 (April 1978): 110-113.

Cohen, Elaine. "Designing Libraries to Sell Services." *Wilson Library Bulletin* 55 (November 1980): 190-195.

Conn, David R., and McCallum, Barry. "Design for Accessibility." *Canadian Library Journal* 39(June 1982): 119-125.

Cooper, Mary. "Building Conversion and Design Constraints." *Library Review* 30 (Spring 1981):18-22.

Ellsworth, Ralph E. "Library Architecture and Buildings." *Library Quarterly* 25 (January 1955):66-75.

Finney, Lance C. "The Library Building Progress: Key to Success." *Public Libraries* 23 (Fall 1984):79-82.

"Flow of Function in Libraries." *American Libraries* 7 (February 1976): 92-96.

Gaines, Ervin et al. "Library Architecture: The Cleveland Experience." *Wilson Library Bulletin* 56 (April 1982): 590-595.

Goldhor, Herbert. "The Effect of Prime Display Location on Public Library Circulation of Selected Adult Titles." *Library Quarterly* 42 (October 1972): 371-389.

Hirn, Sven. "Entrance Area Strategy in Libraries." *Scandinavian Public Library Quarterly* 19:4 (1986): 129-131.

Interim Standers [for Small Public libraries]. *Illinois Libraries* 45 (December 1963): 559-569.

Isacco, Jeanne M. "Work Space, Satisfaction, and

Productivity in Libraries." *Library Journal* 110:8 (May 1, 1985):27-30.

Lushington, Nolan. "Some Random Notes on Functional Design." *American Libraries* 7 (February 1976):92-94.

"Memorandum on Standards of Public Library Service, Approved at the 24th Session of IFLA/FIAB, Madrid 1958." *Libri* 8:2 (1958): 189-199.

"Memorandum on Standards of Public Library Service-- Library Premises' Approved at 25th Session of IFLA/ FIAB, Warsaw 1959." *Libri* 9:2 (1959):165-168.

Ming, M., and MacDonald G. "Rural Library Training: Bridging the Distance Effectively." *Canadian Library Journal* 44 (April 1987): 73-78.

Michaels, A. "Design Today." *Wilson Library Bulletin* 61(May 1987): 40-44.

Nordgarden, Aud and Rannveig Egerdal Eidet. "New Norwegian Guideline for Public Library Buildings." *Scandinavian Public Library Quarterly* 15 (1982):50-58.

Rayward, W. Boyd. "The Planning Process for Public Libraries: A Context and Some Reflections." *Public Libraries* 22:3 (Fall 1983): 108-110.

Rohlf, Robert H. "New Factor in Planning Public Library Buildings." *Public Libraries* 26 (Summer

1987): 52-53.

--------. "Library Design: What Not to Do, Successful
Library Building Programs Avoid These Common Pit-
falls." *American Libraries* (February 1986): 100-104.

Singh, Raijwant. "Impact of Information Technology on
Library Buildings." *International Library Movement*
9:4 (1987): 145-150.

Strain, Paula M. "Efficiency and Library Space." *Spe-
cial Libraries* 70 (December 1979): 542-548.

Svensson, Sven-Olof. "A Manual of Public Library
Premises." *Scandinavian Public Library Quarterly* 15(
1982): 59-75. "

Todaro, J. B. "Changing Children's Environments." *Illi-
nois Libraries* 60 (December 1978): 903-908.

附　　錄

附錄一　特殊用途空間需求

項　　目	空間需求
單面卡片目錄櫃	35平方呎
雙面卡片目錄櫃	100平方呎
輿圖架	35平方呎
字典櫃	30平方呎
索引桌	140平方呎
平裝本書架	35平方呎
報架	25平方呎
直立式檔案櫃*	10平方呎
地圖檔案櫃	35平方呎
視聽資料儲存櫃**	15平方呎
展示櫃	50平方呎
微捲/微片/閱讀機	35平方呎
微捲櫃	10平方呎
公用打字機	35平方呎
公用目錄微電腦	50平方呎
複印機	30平方呎
小型研討室	25平方呎
職員休息室***	50平方呎，另每一座位加25平方呎

*直立式檔案櫃有2屜、3屜、4屜及5屜等不同規格。
**這是一般非書資料的儲存需求，若有特定型態儲存設備，則其空間需求可能有所不同。
***包括一個小廚房及桌椅設備。以容納6人的休息室為例，所需空間為200平方呎(50+(6×25)=200)。

資料來源：　Anders C. Dahlgren, *Public Library Space Needs: A Planning Outline* (ED292482), p.23.

附錄二　空間需求估算表（Space Needs Worksheet）

圖書館名稱 _____

填表人 _____　日期 _____

步驟1. 計算人口數

    a.目前本地人口數(僅供比較用) _____

    b.預估本地人口數.................... _____

    c.預估外地人口數.................... _____

    d.計算人口數(b+c).................. _____

步驟2. 典藏空間

    a.圖書　_____ 冊÷10 .... _____ 平方呎

    b.錄音錄影帶(recordings) _____ 件÷10 _____ 平方呎

    c.展示期刊 _____ 種÷1.5 .... _____ 平方呎

    d.過期保留期刊 _____ 種×0.5×保留 _____ 年 _____ 平方呎

    e.小計(a+b+c+d) .... _____ 平方呎

步驟3. 讀者席位空間

    a. _____ 席×30 .... _____ 平方呎

步驟4. 館員工作空間

    a. _____ 工作站×150 .... _____ 平方呎

(其他特定工作站列於次頁)

步驟5. 會議室空間

　　　a.一般集會空間 ＿＿＿＿ 席×10 ..... ＿＿＿ 平方呎

　　　b.會議室空間 ＿＿＿＿ 席×25 ..... ＿＿＿ 平方呎

　　　c.兒童活動空間 ＿＿＿＿ 席×10 ..... ＿＿＿ 平方呎

　　　d.小計(a+b+c) .... ＿＿＿ 平方呎

步驟6. 特殊用途空間

　　　a.典藏空間(見2.e.) .... ＿＿＿ 平方呎

　　　　讀者席位空間(見3.a.) .... ＿＿＿ 平方呎

　　　　館員工作空間(見4.a.) .... ＿＿＿ 平方呎

　　　　會議室空間(見5.d.) .... ＿＿＿ 平方呎

　　　b.合計(1) .... ＿＿＿ 平方呎

　　　c.0.1×b .... ＿＿＿ 平方呎

　　　（或者,可將特殊用途之個別需求列於次頁,並參考附錄
　　　　二所列之空間需求,合計後填入6.c.）

步驟7. 不可支配空間

　　　a.合計(1)（見6.b.） .... ＿＿＿ 平方呎

　　　b.特殊用途空間(見6.c.) .... ＿＿＿ 平方呎

　　　c.合計(2)（a+b） .... ＿＿＿ 平方呎

　　　d.0.25×c .... ＿＿＿ 平方呎

步驟8. 合計全部所需空間

　　　a.典藏空間(2.e.) .... ＿＿＿ 平方呎

        b. 讀者席位空間(3.a.) .... _____ 平方呎

        c. 館員工作空間(4.a.) .... _____ 平方呎

        d. 會議室空間(5.d.) .... _____ 平方呎

        e. 特殊用途空間(6.c.) .... _____ 平方呎

        f. 不可支配空間(7.d.) .... _____ 平方呎

        g. 所需總面積(a+b+c+d+e+f) .... _____ 平方呎

[補充]

步驟4. 館員工作空間

    （列舉館員工作站需求；若不敷填寫，換單續填或在次頁
    的備註欄說明）

    _____   _____

    _____   _____

    _____   _____

    _____   _____

[補充]

步驟6. 特殊用途空間

    （參考附錄一；若不敷填寫，換單續填或在次頁的備註欄
    說明）

    _____ .... _____ 平方呎

    _____ .... _____ 平方呎

    _____ .... _____ 平方呎

    _____ .... _____ 平方呎

_____　‥‥‥‥　_____　平方呎

_____　‥‥‥‥　_____　平方呎

_____　‥‥‥‥　_____　平方呎

_____　‥‥‥‥　_____　平方呎

_____　‥‥‥‥　_____　平方呎

合計(填入前頁的6.c.) ‥‥‥‥‥‥ _____ 平方呎

備　註：

資料來源：Anders　C.　Dahlgren,　*Public　Library　Space Needs: A Planning Outline* (ED292482),　pp.25-26.

附錄三 書架長度與模矩面積換算法

欲將書架長度換算為單位模矩空間面積（a module of space)可依循下列步驟：

1. 計算柱子與柱子間之距離。長乘以寬計算面積。假若柱間距離皆相同，則柱與柱間的面積形成一個區間（bay)或模矩（module of space)。以次頁之書架配置圖為例，單位模矩面積為400平方呎(20呎×20呎)。

2. 將書架中心點標出來。走道最小寬度為 3呎，因此，若書架深度為12吋，則從書架中心至書架中心距離即為5呎。

3. 計算此空間可配置之書架數量。以該圖為例，可容納24座雙面書架。

4. 計算單面書架數量。該圖共有48座單面書架。

5. 計算每一座(section)書架的長度。此圖全部書架都是3呎寬，高度容書 7層(shelves high)，等於每單面書架長度為21呎。

6. 將每一座單面書架的長度乘以座數。以此圖來說，21呎×48=1,008呎。

7. 計算每呎的藏書冊數(利用標準或架上取樣)。 若以每呎7冊計，1,008×7=7,056 表示該區間模矩內的藏書量為7,056冊。

8. 將此藏書量除以面積，即得每平方呎可容納之冊數。

$$\frac{7056冊}{400 \ 平方呎}=17.64 \ 冊/平方呎$$

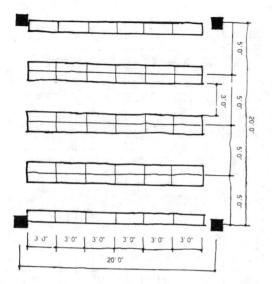

附圖　模矩區間與書架長度示意圖

資料來源：Aaron Cohen and Elaine Cohen, *Designing & Space Planning for libraries: A Bahavioral Guide* (N. Y.: Bowker, 1979), pp. 79-80.

附錄四 台灣省各縣總鎮縣轄市立圖書館現況資料統計表

（資料時間：79年6月30日止）

名稱	總建坪（館舍狀況）	獨棟	合建	正式（人員）	兼任	臨時	大專（學歷）	高中	國中	國小	其他	已受訓（狀況）	未受訓	總藏書量（館藏）	一般圖書	兒童圖書	雜誌（說明）	報紙	視聽資料	每週開放時數
宜蘭縣	956 (191.2)	4	1	3	2	6	2	7	2	0	0	3	8	56,747 (11,349)	45,486 (9,097)	11,261 (2,252)	236 (47)	28 (5.6)	319 (63.8)	285 (57)
台北縣	3,885 (277.5)	2	12	27	4	48	23	46	5	3	2	14	65	337,734 (24,124)	260,409 (18,601)	77,325 (5,523)	1,052 (75)	187 (13.4)	1,756 (125.4)	866 (61.8)
桃園縣	3,123 (240.2)	6	7	31	0	7	12	20	3	3	0	16	22	332,152 (25,550)	292,550 (22,504)	39,602 (3,046)	834 (64)	198 (15.2)	704 (54.2)	934 (71.8)
新竹縣	1,897 (210.8)	8	1	13	3	5	3	15	1	2	0	5	16	116,759 (12,973)	98,861 (10,985)	17,898 (1,988)	262 (29)	62 (6.9)	621 (69)	478 (53.1)
苗栗縣	3,016 (274.2)	10	1	8	4	11	8	13	2	1	0	11	12	171,719 (15,611)	147,884 (13,444)	23,835 (2,167)	394 (36)	87 (7.9)	1,798 (163.5)	560 (50.9)
台中縣	3,867 (241.7)	13	3	24	2	24	10	35	0	4	0	10	40	300,269 (18,767)	255,858 (15,991)	44,411 (2,776)	713 (45)	214 (13.4)	853 (53.3)	914 (57.1)
南投縣	2,044 (227.1)	5	4	12	6	9	10	14	3	0	0	10	19	119,964 (13,329)	102,361 (11,373)	17,603 (1,946)	167 (19)	59 (6.6)	610 (67.8)	402 (44.7)
彰化縣	4,818 (344.1)	10	4	15	4	22	12	25	4	3	0	8	28	190,013 (13,572)	154,607 (11,043)	35,406 (2,529)	578 (41)	118 (8.4)	2,980 (212.9)	742 (53)
雲林縣	3,668 (215.8)	13	4	12	3	16	12	17	2	0	2	9	22	213,817 (12,577)	168,034 (9,884)	45,783 (2,693)	350 (21)	111 (6.5)	1,032 (60.7)	816 (48)
嘉義縣	1,994 (181.3)	11	0	15	13	5	6	13	1	2	2	6	14	138,982 (12,635)	116,236 (10,567)	22,746 (2,068)	250 (23)	74 (6.7)	983 (89.4)	564 (51.3)
台南縣	4,364 (256.7)	9	8	9	13	22	12	28	3	2	0	15	29	147,894 (8,700)	109,080 (6,416)	38,814 (2,284)	365 (21)	122 (7.2)	731 (43)	806 (47.4)
高雄縣	4,677 (233.9)	11	9	21	7	24	9	38	4	6	0	20	32	307,608 (15,380)	260,248 (13,012)	47,360 (2,368)	671 (34)	171 (8.6)	1,208 (60.4)	1,040 (52)
屏東縣	3,974 (172.8)	19	4	29	4	23	6	42	6	1	0	21	35	301,238 (13,097)	236,072 (10,264)	65,166 (2,833)	638 (28)	174 (7.6)	2,887 (125.5)	1,192 (51.8)
台東縣	2,318 (210.7)	10	1	6	7	8	2	18	0	1	0	6	15	119,000 (10,818)	88,647 (8,059)	30,353 (2,759)	212 (19)	44 (4)	905 (82.3)	474 (43.1)
花蓮縣	2,110 (175.8)	10	2	7	9	5	5	14	1	1	1	9	14	132,117 (11,010)	115,732 (9,644)	16,385 (1,366)	227 (19)	66 (5.5)	1,750 (145.8)	578 (48.2)
澎湖縣	574 (114.8)	2	3	5	2	5	2	5	1	1	0	3	7	76,801 (15,360)	64,193 (12,839)	12,608 (2,521)	267 (53)	35 (7)	311 (62.2)	232 (46.4)
合計（平均）	47,285 (228.4)	143	64	237	70	240	132	350	38	20	7	169	378	3,062,814 (14,796)	2,516,258 (12,156)	546,556 (2,156)	7,216 (35)	1,750 (8.5)	19,448 (94)	10,883 (52.6)
（小計）		207		547			547					547								
（百分比）		69.1%	30.9%	43.3%	12.8%	43.9%	24.1%	64%	6.9%	3.7%	1.3%	30.9%	69.1%		82.2%	17.8%				

資料來源：臺灣省政府教育廳，臺灣省鄉鎮縣轄市立圖書館現況與展望（臺中：該廳，民79年），頁11。

附錄五　鄉鎮圖書館訪問日程表

日　期	圖書館名稱
二月十二日	台中縣后里鄉立圖書館
二月十三日	台中縣烏日鄉立圖書館
二月十三日	南投縣草屯鎮立圖書館
二月十三日	彰化縣鹿港鎮立圖書館
二月十三日	彰化縣北斗鎮立圖書館
二月十四日	南投縣中寮鄉立圖書館
二月十四日	南投縣名間鄉立圖書館
二月十四日	雲林縣東勢鎮立圖書館
二月十四日	雲林縣林內鄉立圖書館
二月十四日	彰化縣大城鄉立圖書館
二月十五日	雲林縣四湖鄉立圖書館
二月十五日	嘉義縣朴子鎮立金璨圖書館
二月十五日	嘉義縣太保鄉立圖書館
二月十五日	嘉義縣民雄鄉立登元圖書館
二月十六日	台南縣麻豆鎮立圖書館
二月十六日	台南縣佳里鎮立圖書館
二月十六日	台南縣東山鄉立圖書館
二月十六日	高雄縣甲仙鄉立圖書館
二月十七日	高雄縣旗山鎮立圖書館
二月十七日	高雄縣杉林鄉立圖書館
二月十七日	屏東縣萬巒鄉立中正圖書館
二月十七日	屏東縣竹田鄉立圖書館
二月十七日	屏東縣里港鄉立圖書館

附錄五　鄉鎮圖書館訪問日程表(續)

日　期	圖書館名稱
二月二十一日	台東縣鹿野鄉立圖書館
二月二十一日	台東縣池上鄉立圖書館
二月二十一日	台東縣長濱鄉立中正圖書館
二月二十一日	花蓮縣豐濱鄉立圖書館
二月二十二日	花蓮縣光復鄉立中正圖書館
二月二十二日	花蓮縣吉安鄉立圖書館
二月二十三日	宜蘭縣蘇澳鎮立圖書館
二月二十三日	宜蘭縣羅東鎮立圖書館
二月二十三日	宜蘭縣南澳鄉立圖書館
三月十八日	桃園縣桃園市立圖書館
三月十八日	桃園縣龜山鄉立圖書館
三月十八日	桃園縣平鎮鄉立圖書館
四月二十九日	新竹縣北埔鄉立圖書館
四月二十九日	新竹縣湖口鄉立圖書館
四月二十九日	新竹縣新豐鄉立圖書館
六月十七日	苗栗縣苑裡鎮立天慶圖書館
六月十七日	苗栗縣竹南鎮立萬春圖書館
六月十七日	苗栗縣公館鄉立圖書館
六月十七日	台中縣大甲鎮立圖書館
十二月二十三日	台北縣新莊市立圖書館
十二月二十三日	台北縣泰山鄉立圖書館
十二月二十三日	台北縣林口鄉立圖書館

附錄六　臺灣省各縣建立鄉鎮圖書館設計要點

中華民國七十四年十一月

壹、前　言

近年來政府於十項建設完成之後，繼續十二項建設，在各縣市普設文化中心，積極推動各項文化建設，並確認鄉鎮(市)圖書館為文化建設的基石，乃計畫大力推展鄉鎮(市)圖書館的建設，俾全面提昇民眾的生活品質，使文化建設植根於基層。

七十四年三月十二日，省府頒佈「臺灣省加強文化建設重要措施」，決定全省普設鄉鎮(市)圖書館，並自七十五會計年度，分三年由省縣編列預算，在全省未建館的一九九個鄉鎮(市)分別建立圖書館，以達「每一鄉鎮(市)有一圖書館」之目標。

本館為使各縣鄉鎮(市)圖書館之興建能符合圖書館設立之目的，發揮其應有之功能，乃邀集學者專家與各有關人員，依據「臺灣省加強文化建設重要措施」之有關規定，擬訂本要點，以做為各鄉鎮(市)興辦圖書館時規劃設計之參考依據。

本要點分兩大部份：第一部份是鄉鎮(市)圖書館之業務設計原則，包括總則、組織與人員、經費預算、館藏設計，以及服務內容之設計等五項，旨在供圖書館的規劃設計人員瞭解圖書館的業務作為，並將之融入圖書館的整體建築設計之中。第二部分是圖書館之實體設計原則，包含總則、建地選擇、空間之規劃與配

置、建築面積設計標準、環境設計,及傢俱設備等六項,旨在使圖書館之實體建築,能完全符合圖書館功能發揮之條件。

貳、 鄉鎮縣轄市圖書館之業務設計原則

甲、總　則

一、鄉鎮縣轄市圖書館(以下稱圖書館)之業務設計,以促使圖書館成為鄉鎮(市)的文化活動中心為主要目標。

二、圖書館之業務設計以順利發揮下列功能為先決條件。

　1. 圖書館是蒐集整理圖書資料與保存文化遺產的場所。

　2. 圖書館是一社會教育機構,是民眾自我學習的學校。

　3. 圖書館是鄉鎮(市)民的休閒育樂中心。

三、圖書館之業務設計,應包括組織與人員、經費預算、館藏設計,及服務內容之設計等項。

乙、組織與人員

一、鄉鎮(市)立圖書館隸屬於各鄉鎮(市)公所。

二、圖書館宜酌情分股辦事,處理採錄、編目、典藏、閱覽、參考及推廣等業務。

三、圖書館應詳訂館內辦事細則及作業流程。

四、圖書館之員額編制應考慮所服務地區之人口數量、館藏數量、館舍面積及業務之繁簡等因素。

五、圖書館專業人員以不低於全館總員額約百分之三十為原則。

六、圖書館因應業務之需要,可召募臨時工或義務館員協助。

丙、經費預算

一、圖書館每年之經費預算，以不少於各該鄉鎮(市)教育經費預算之百分之三為原則。

二、圖書館經費應包括人事費、業務費、事務費、旅運費、維護費、及圖書設備等項。

三、圖書館經常費之分配標準，以人事費不高於百分之五十、業務費及圖書設備費不低於百分之四十、辦公費佔百分之十為原則。

丁、館藏設計

一、圖書館館藏之設計，應配合當地民眾之需要，並嚴密而完整的蒐集保存當地文獻。

二、圖書館之館藏應包括圖書館資料與非圖書資料；其範圍為圖書、連續性刊物、官書、論文、手稿、檔案、輿圖、樂譜、小冊子、剪輯、縮影資料、視聽資料，以及地方文物等。

三、圖書館基本館藏量應在一萬冊以上。每年酌量增加，而以達到所服務地區之民眾每人一冊以上為發展目標。

四、圖書館應有期刊至少五十種以上，其內容具參考價值者，應予裝訂保存。

五、圖書館應與鄰近圖書館合作，劃分蒐集資料範圍，共同建立較完整的館藏。

六、圖書館館藏是一個成長的有機體，應隨時汰舊換新。

七、圖書館館藏資料之分類編目，應採用適當之圖書分類法與
編目規則；而以和大型公共圖書館(如： 國立或省立圖書
館)所採用者相同爲原則，以利將來分享其編目資料。

八、圖書館得爲館藏資料編製分類目錄，書名目錄，及標題目
錄，便利讀者檢索；另至少應編製排架目錄一種，以利內
部作業。

戊、服務內容之設計

一、圖書館之服務對象，應包括鄉鎮(市)全體民眾；自兒童至
老年人，並兼及殘障人士。

二、圖書館之開放時間，應視當地民眾之方便與需要而定，每
週不少於四十四小時爲原則。

三、圖書館服務內容之設計，應考慮當地民眾之結構、知識背
景及興趣。

四、圖書館之服務內容，應括閱覽、流通、參考，及推廣等四
項服務。

五、圖書館擬訂閱覽規則及借書規則時，應以方便讀者及易於
圖書資料之典藏爲考慮前提。

六、圖書館館藏資料的管理方式，除珍善本書及貴重文物外，
應以讀者最方便利用爲原則，而決定採開架式或閉架方式
管理。

七、圖書館之參考服務工作，包括閱讀指導、答覆諮詢及資料
複印等項。

八、圖書館之推廣服務工作，有圖書巡迴服務、展覽、講演、

電影電視欣賞、音樂會、講習訓練，及其他各種社教活動。

九、圖書館應與他館建立館際合作制度，積極的擴大服務讀者。

參、　鄉鎮縣轄市圖書館實體設計原則

甲、總　則

一、圖書館建築之設計，必須符合圖書館設置之目的，以利圖書資料之整理與典藏及各項讀者服務工作之進行。

二、圖書館建築之設計應由圖書館籌建委員會共同研商設計之。圖書館籌建委員會由下列人員組織，並由行政主管單位遴聘之。

（一）上級主管。

（二）建築師。

（三）圖書館人員。

（四）專家顧問。

三、圖書館建築之設計應考慮該館之組織人員，期能以最少人力達到管理及服務讀者的要求，並能在不影響閱讀情況下推展各項活動。

四、圖書館建築之設計應兼顧美觀與實用之原則，並具備防火、防震、防蟲、防潮、防塵、通風及隔音等設施。

五、圖書館建築之設計以不超過三層爲原則。造型方面配合四周環境景觀及地方特性，內部則應考慮業務之需要。

六、圖書館建築之設計以未來二十年之發展爲目標，在藏書、讀者及工作人員、服務內容之容量上，預留相當之空間，

如因經費缺乏無法預留空間，則應考慮未來擴建之可能。

七、圖書館建築設計需考慮殘障讀者利用之便利，儘量減少階梯、窄門。

乙、建地選擇

一、圖書館應設於交通便利，位置適中地區，建地之選擇應考慮館址所在地區民眾居住之分佈狀況，以及都市或社區之未來發展計畫。

二、圖書館為防範風災、水災及震災，建地不宜選擇在高曠當風、低窪積水或地基鬆軟地區。

三、圖書館建地不僅應足敷建築之需，並應備有未來擴展之餘地。

丙、空間之規劃與配置

一、通　則

（一）圖書館的空間設計，以模矩架構為宜（最佳比例是三比二）。　為保持彈性使用，各層平面應盡量避免固定隔間，或以活動空間為原則，俾便調整佈置。

（二）圖書館之結構柱位，應配合書架位置設計。

（三）圖書館各樓層如裝置天花板，自地板至天花板之淨高度至少為 2.6公尺，以容納書架之高度及書架以上裝置燈光之空間。

（四）圖書館各活動空間之配置，應依讀者、館員動線關係安排，以確保各空間之獨立性及聯貫性。

（五）圖書館得視業務繁簡，配置□行政及資料處理、文教
　　　活動、參考閱覽、圖書典藏、公共設施所需要之空間。

　　（1）行政及資料處理單位包括館長室、辦公室、公用
　　　　　目錄出納台。

　　（2）文教活動場所需要之空間包括展覽室、演講廳。

　　（3）參考閱覽室所需要的空間包括兒童閱覽室、休閒
　　　　　閱覽室、參考室、普通閱覽室、成人閱覽室。

　　（4）公共設施包括前廳、出入口、廁所、儲藏室、樓
　　　　　梯間、通道、機房所必需之空間。

二、行政管理及資料處理區

（一）行政管理單位集中一區，資料處理單位則依圖書資料
　　　處理的程序作合理的配置，並直通出入口，以便工作
　　　的聯繫及資料的傳送。圖書館如由少數人總括所有業
　　　務時，則兩單位合併設置，其位置要靠近出納台，以
　　　兼管出納工作，並充館長室。

（二）出納台為讀者辦理借書之處，其位置應接近書庫，台
　　　前有較寬闊之空間，台內要有足夠地方為書庫流動。

三、文教活動區

（一）演講廳、展覽室，應遠離閱覽室另闢出入口，出入口
　　　平常關閉，在閉館期間可供館員出入。

（二）演講廳、展覽室宜相鄰，並附接待室、準備室。

（三）演講廳宜採斜坡之形設計為佳，不一定要有舞台，但
　　　必需有銀幕設備及完善的線路插座和音響系統。

（四）展覽室應預先有懸掛書畫及上釘之設計，避免臨時鑿牆打洞。

四、參考閱覽區

（一）參考閱覽區中，休閒閱覽室、參考室與公用目錄、出納台為一般讀者經常利用之場所，應儘可能集中於一層且在館員的視野內。

（二）兒童閱覽室，宜設於地面樓層靠正門之進口處，以減少對成人閱讀之干擾。

（三）成人閱覽室陳列各種學術性期刊應與書庫緊鄰或便交通。

（四）普通閱覽室為提供青少年自習場所，應靠近成人閱覽室，引導學生利用館藏或設計於出入口控制點以外。

（五）休閒閱覽室提供一般休閒讀物及近期報紙、通俗期刊、須保留空間以積存、整理過期資料。

（六）圖書館應視地方需要酌設視聽資料室，除儲藏、管理視聽資料及器材外，並提供讀者使用，位置宜靠近文教活動區。

五、圖書典藏區（書庫）

（一）書庫應與閱覽室、編目組緊密聯繫。開架式書庫則與成人閱覽室合併設計。閉架式書庫可採疊層式設計，以節省空間面積。

（二）書庫各層平面之交通應單純便捷，除樓梯外，應有機械送書設備。

六、公共設施

（一）公共設施距離出入口不宜太遠，在各層的位置應一致
，並集中一處，以簡化交通方式，便利讀者使用。

（二）圖書館的大門須使人易於辨識，盡可能設在館內各區
域必經之地。

（三）職員休息室包括廚房、衣帽間，應接近行政管理區域。

（四）前廳是進圖書館前的緩衝地帶，可置存物櫃或展示新
書，佈告海報。

七、交通聯繫

（一）圖書館出入口控制宜單設一處，盡量簡化設計，減少
執行管制和監督工作的人力。

（二）圖書館各層面應成一平面，以便利交通及圖書資料之
運送。

丁、建築面積標準

一、圖書館建築面積應以計算應以藏書數量，讀者容量、工作
人數及各項業務活動所需要之空間為依據。

二、圖書館藏書數量應以所服務地區民眾每人一冊以上為發展
目標。新館建築至少應預留之藏書容量如

　　大型圖書館：十五萬冊

　　中型圖書館：十萬冊

　　大型圖書館：五萬冊

三、圖書容量之計算標準，開架式書庫，每一平方公尺一五〇

冊計，但每層書架排架長度不能超過架長的三分之二。

四、館內應設之閱覽席位，應視當地人口情形而定。其一般標準如下：

大型圖書館：三〇〇席。

中型圖書館：二五〇席。

小型圖書館：二〇〇席。

五、閱覽面積之計算方式以每一席位二‧二五平方公尺計。

六、工作人數依照各館編制人數估計之，每人平均六至九平方公尺計。

七、演講廳所需面積，每一席位一‧六平方公尺計。

八、展覽室所需面積，每人以一平方公尺計。

九、書庫及陳列圖書閱覽需之樓板載重量，以每一平方公尺六五〇公斤計。

十、閉架式書庫書架間之中心距離一二五至一五〇公分，架柱間通道之最小淨寬度為九〇公分。開架式書庫之書架中心距離間距為一六五～二〇〇公分，架柱間通道之最小淨寬度為一二〇公分。

十一、走道寬度不可少於一五〇公分，閱覽座位間通道以一一〇至一五〇公分計。

十二、其他公共設施等標準參照一般建築標準設計之。

戊、環境設計

一、圖書館的採光，除在前廳、走道可引日光外，其他功能區域以人工照明為宜，光線應求均勻分佈。

二、書庫內燈光品質應具不損傷圖書之效能，燈管排列應與書
　　架成垂直方向，以免書架移動影響燈光照明。

三、演講廳、展覽室之照明強弱要能控制，必要時請專家作特
　　殊設計。

四、圖書館內各區域最低光度標準：

　　書庫和閱覽室三〇呎燭。

　　公用目錄、出納台需七〇呎燭。

　　前廳、走廊、樓梯等需一〇呎燭。

　　編目等辦公室需一五〇呎燭。

　　但相鄰區域之光度變化不宜太大。

五、圖書館建築之設計應注意音效控制，活動頻繁的區域應集
　　中於主要進出口附近，動與靜的區域要分開。

六、圖書館使用之各項建材應採用具有消滅音量的材料。

七、圖書館各房間的顏色要配合讀者的活動情緒，而不一定採
　　單一色調，但同一樓層中各室色調要一致。

八、圖書館色彩設計時，應以各空間的面積大小作為選擇顏色
　　的先後次序，個別傢具的配合應在背景用色決定後斟酌。

九、圖書館應視本身規模大小、服務功能設計良好的指標系統
　　，以便適時達成視學溝通。指標之設計應使用國際標準符
　　號，以及圖書館界通用的符號，顏色及式樣一致。

十、館外四週須有適當的開啟空間供民眾戶外活動之用，並設
　　置足夠的停車場，停車場設備不妨礙建築外貌。

十一、如有空調設備，館內溫度、濕度應保持標準：

　　　溫度（室內外溫差不超過八度為宜）。

夏日：24℃～28℃　　　冬日：21℃

濕度

夏日：四〇～七〇%　　冬日：二〇～五〇%

若無空調設備，應裝置電動抽風機及除濕機。

己、傢具設備

一、圖書館之傢具設備應配合圖書資料典藏、讀者閱覽及各項
業務之需要。

二、圖書館應採用配合人體工學設計製造的標準規格傢具設備。

三、圖書館的傢具設備，應符合堅固、耐用，易於保養等經濟
原則。

四、傢具之材質與顏色應與周圍環境相調和。

五、圖書館之傢具設備應有不同規格、造形互相配合，以獲致
舒適美觀的效果。

六、傢具配置時，需考慮其規格尺寸外，應包括人們利用時活
動之空間。

附錄七　臺灣省各鄉鎮縣轄市立圖書館組織規程

中華民國五十八年三月　十七　日府人丙字第一〇七八七八號令
中華民國五十九年七月　十六　日府人丙字第　五六二八二　號令
中華民國六　十　年一月二十三　日府人丙字第一二一一號令修
中華民國六十六年二月　十二　日府人一字第一一五六一號令修
中華民國六十八年四月　十一　日府人一字第三〇一四一號令修
中華民國六十九年四月　　三　日府人一字第二八六六五號令修

第　一　條　臺灣省各鄉鎮縣轄市立圖書館(以下簡稱圖書館)隸
　　　　　　屬於各鄉鎮縣轄市公所,其組織依本規程之規定。

第　二　條　圖書館置管理員,綜理館務,並指揮監督所屬員工。

第　三　條　圖書館圖書未滿一萬冊者,置兼任管理員或專任約
　　　　　　聘(僱)人員一人,一萬冊以上者置專任管理員一人
　　　　　　。但山地或離島鄉鎮圖書未滿五千冊者,置兼任管
　　　　　　理員或專任約聘(僱)人員一人,五千冊以上者,置
　　　　　　專任管理員一人。

第　四　條　圖書館圖書一萬五千冊以上者,另置幹事。

第　五　條　圖書館人員之職等及員額,另以編制表訂之。

第　六　條　圖書館分層負責辦事明細表,由圖書館擬訂,報請
　　　　　　上一級機關核定。

第　七　條　本規程自發布日施行。

國立中央圖書館出版品預行編目資料

臺灣鄉鎮圖書館空間配置／林金枝著. --初版. --臺北
市：臺灣學生，民81
　　面；　　　公分. --(圖書館學與資訊科學叢書；28)
　　參考書目：面
　　ISBN 957-15-0396-7 (精裝). --ISBN 957-15
-0397-5 (平裝)

　1. 鄉鎮圖書館

026. 6　　　　　　　　　　　　　　　81002838

臺灣鄉鎮圖書館空間配置(全一冊)

著　作　者：林　　　金　　　枝
出　版　者：臺　灣　學　生　書　局
本書局登記證字號：行政院新聞局局版臺業字第一一〇〇號
發　行　人：丁　　　文　　　治
發　行　所：臺　灣　學　生　書　局
　　　　　　臺北市和平東路一段一九八號
　　　　　　郵政劃撥帳號 0 0 0 2 4 6 6 8
　　　　　　電話：3 6 3 4 1 5 6
　　　　　　FAX：(0 2) 3 6 3 6 3 3 4
印　刷　所：常　新　印　刷　有　限　公　司
　　　　　　地　址：板橋市翠華街 8 巷 13 號
　　　　　　電　話：9524219・9531688
香港總經銷：藝　文　圖　書　公　司
　　　　　　地址：九龍偉業街99號連順大廈五字
　　　　　　樓及七字樓　電話：7959595
定價　精裝新台幣二五〇元
　　　平裝新台幣一九〇元
中　華　民　國　八　十　一　年　六　月　初　版

ISBN 957-15-0396-7 (精裝)
ISBN 957-15-0397-5 (平裝)

臺灣學生書局 出版

圖書館學與資訊科學叢書

※尚有其他圖書館學類圖書十餘種請參考 學 書局 書目